CD は 2 枚重ねて入ってお

改訂版

もう一度

中学英語をひとつひとつわかりやすく。

NOBU English 主宰 山田 暢彦 監修

先生から，みなさんへ

数多くある英語学び直し本の中から本書を手に取ってくださり，ありがとうございます。

このテキストでぼくが何よりも大切にしているのは，**「実際に英語を使えるようになってほしい」**ということです。自分で言いたいことが言える楽しさや，伝わったときの喜び。英語を通じて自分の世界が広がっていく感覚。そして,「もっと学びたい！」という純粋な興味や向上心。

自分で英語を使えるようになってくると，従来の暗記や読解中心の勉強法に比べて，英語がぐっと楽しくなります。この「ワクワク」こそが，本来の外国語を学ぶ素晴らしさですね。

もちろん,日本で英語を学ぶ以上は,テストや成績というのもつきものです。そこで本書では,中学校で習うすべての文法項目を網羅。学校英語にばっちり対応した，心強いテキストになっています。

だけど同時に，その文法ルールの解説にしても，練習問題の例文の内容にしても，また今回の改訂版から新たに追加されたスマホで聞けるスピーキング・トレーニング用音声にしても,本書で常に意識したのは「英語を実際に使う」というみなさんの現場のことです。

この本は，英語入門者の方が**実践的な英語力の土台を作るための本**です。英語ネイティブであり，また日英のバイリンガルであるぼくが長年の指導経験で磨いてきた“生きた英語”のレッスンをどうぞお楽しみください。この１冊が終わった頃には，世界じゅうで英語を話せる強固な土台が身についているでしょう。

「そういうことだったのか！」
「楽しい！」
「英語をやっててよかった！」

本書がきっかけでそんな方がひとりでも多く増えれば，最高にうれしいです。
Good luck. You can do it!

監修　山田暢彦（NOBU）

本書の使い方

「書き込んで，聞いて，話す」学習法！

1. 左ページの説明を読んで，右ページの書き込み式 EXERCISE（練習問題）に取り組みましょう。書き込みやすいように，**開きやすい製本**になっています。
「パッと Speak!」の問題では，**自分の視点**で描かれたイラストで，「こんな場面ではどう言う？」という実践的な英会話の練習ができます。
2. 別冊解答を使って答え合わせをしましょう。
3. 答え合わせが終わったら，音声を聞いて，話す練習をしましょう。

音声の聞き方は3通り。自分のスタイルで選べる！

1 CD で聞く

付属の「音読 CD」2枚には，EXERCISE と「復習タイム」の英文が収録されています。ネイティブ・スピーカーの発音を聞いて，あとについて言う発音練習ができます。（CD には日本語は収録されていません。）

2 二次元コードで聞く

各ページの二次元コードを読み取ることで，インターネットに接続されたスマートフォンやタブレットで再生できます。（通信料はお客様のご負担になります。）

3 アプリで聞く

音声再生アプリ「my-oto-mo（マイオトモ）」に対応しています。下の URL からダウンロードしてください。

https://gakken-ep.jp/extra/myotomo/

アプリは無料ですが，通信料はお客様のご負担になります。パソコンからはご利用になれません。

スマホなら2種類の音声で学べる！

1 発音練習用音声（英語のみ）
付属 CD と同じ音声です。

スピーキングワンポイントレッスンつき！

2 スピーキング・トレーニング用音声（和→英）
テキストなしでいつでも・どこでも音声だけで復習できるように，スマホ専用の特典音声を用意しました。
各レッスンの冒頭に，先生本人による**発音・スピーキングの特別ワンポイントレッスン**を収録。そのあとで，右ページの問題を「日本語訳→ポーズ→英語→ポーズ」の順で読んでいます。**日本語を聞いてパッと英語で言う練習***をしましょう。

（＊復習タイムには対応していません。）

本書は，中学生向け参考書『中１英語をひとつひとつわかりやすく。』『中２英語をひとつひとつわかりやすく。』『中３英語をひとつひとつわかりやすく。』（Ｂ５判）の３冊の内容を１冊にまとめ，学び直し用として加筆・修正して再構成したものです。３冊からのおもな変更点は次の通りです。
・学習項目を学び直し用に再構成しています。
・練習量を増やすために問題を追加したり，大人向けに一部の英文を変更したりしています。
・左ページ下（「文法用語」など）や，「基礎ができたら，もっとくわしく」など，大人向けのコラムを追加しています。

英語学習のアドバイス

難しく感じることは，無理矢理やらないでください。

ほんの少し背伸びするくらいの，ほどよいレベルでチャレンジしていくのがいちばん効果的です。本書は，I'm ～. などのいちばんの基礎から，ネイティブとの会話でも生きる高度な表現までカバーしています。ひとつひとつの積み重ねを楽しみながら，じっくり確実にマスターしていきましょう。

学び直しはレースではありません。自分のペースや感覚を大切にしてくださいね。

英文をたくさん声に出し，たくさん書きましょう。

英語学習は，問題を解いて答え合わせをした“あと”こそが本番。文法を頭で理解したなら，今度は自分の耳と口をたくさん使って，音で覚えていきましょう。そして同時に，書いて定着を図りましょう。音声と文字の両面からバランスよく練習するのがポイントです。

なお，具体的な目安として，スマホで聞ける**スピーキング・トレーニング用音声で，日本語を聞いたらパッと簡単に英語が言える状態**にまでなったら，次のレッスンに進むといいでしょう。

必ず会話の場面を想像しましょう。

本書では，会話でそのまま使える生きた例文を豊富に掲載しています。お手本の音声をよく聞いて，抑揚や強弱をそっくりまねして話す練習をしましょう。

ただし，その際，ただの「音声の復唱」にならないように注意してください。コツは，**会話の場面をよく想像して，目の前の相手に伝えるつもりで言う**こと。たとえば，お誘いをしている場面なら，自然に少しフレンドリーな口調になるはずですね。例文の場面や意味内容をはっきりと想像することで，ぐっと実践的で効果的な練習ができます。

OK, let's do it!
Remember, one by one.
Practice should always be fun!

（それでは，やってみましょう！「ひとつひとつ」の気持ちを忘れずに。練習はいつも楽しくね！）

To Teachers

日本の学習者と向き合う，英語の先生方へ ― 本書がめざすもの

This is a simple grammar book for basic-level adult learners who wish to improve their practical English skills. Our aim has been to create a unique textbook that not only teaches the rules of grammar, but also offers tips and training that will help them actually use those expressions effectively in conversation. The book is comprehensive, easy-to-understand, and practical.

For many years, in Japanese classrooms, students have been forced to learn English passively. They spend long hours listening to teachers' explanations, memorizing long lists of rules and words, and translating English sentences into Japanese. Focus was rarely on the student. It was on the teacher, and on the textbook.

However, with this book, we'd like to put the focus back on the student. We believe language is a personal experience, and it can become personal only when we use it. Here, that means less time making students memorize detailed grammar points, and more time actually having them practice and speak the English they have learned. As they say, however, old habits die hard. In the classroom, many adult Japanese learners will still hesitate to speak up. They will instinctively be afraid to make mistakes because mistakes always meant being a bad student. We were never taught that mistakes are actually a vital part in the exciting process of learning a new language.

With this book, we hope you can help us change this old tradition. Let's encourage our highly motivated, but slightly anxious, Japanese students to enjoy using English—including those inevitable and invaluable mistakes! And let's help them feel safe stepping out, for, as we teachers all know, that is when our students shine the brightest.

Thank you for placing your trust in this book, and cheers to your students' new journey!

CONTENTS

先生から，みなさんへ …… 002
本書の使い方 …… 003
英語学習のアドバイス …… 004
To Teachers …… 005
アルファベット，単語と英文の書き方 …… 012

CHAPTER 01
主語と動詞とは・be 動詞

01 「主語」と「動詞」とは？ …… 014
英語の文のしくみ ／ *Subjects & Verbs*
02 「be 動詞」とは？ …… 016
be 動詞（am, are, is）の働き ／ *Functions of Linking Verbs*
03 am, are, is の使い分け ① …… 018
be 動詞の文（主語が I, you のとき）／ *"I am ~." & "You are ~."*
04 am, are, is の使い分け ② …… 020
be 動詞の文（主語が単数のとき）／ *Singular "is"*
05 am, are, is の使い分け ③ …… 022
be 動詞の文（主語が複数のとき）／ *Plural "are"*
06 am, are, is の整理 …… 024
主語による be 動詞の変化（まとめ）／ *"am/are/is" (Review)*
復習タイム 026

CHAPTER 02
一般動詞

07 「一般動詞」とは？ …… 028
一般動詞の文（主語が I, you のとき）／ *Functions of General Verbs*
08 「3 人称」とは？ …… 030
主語の「人称」という考え方 ／ *What is the Third Person?*
09 動詞の形の使い分け ① …… 032
一般動詞の文（主語が 3 人称単数のとき）／ *Third-Person Singular Present*
10 まちがえやすい 3 単現 …… 034
3 単現の変化に注意する動詞 ／ *Spellings of Third-Person Forms*
11 動詞の形の使い分け ② …… 036
一般動詞の文（主語が複数のとき）／ *Plural Subjects*
12 動詞の形のまとめ …… 038
主語による一般動詞の変化（まとめ）／ *Simple Present Verb Forms (Review)*
復習タイム 040

CHAPTER 03
品詞の基礎

13 「代名詞」とは？ …… 042
代名詞（主格）／ *Subject Pronouns*
14 「彼の」「私たちの」など …… 044
代名詞（所有格）／ *Possessive Pronouns*
15 「形容詞」とは？ …… 046
形容詞の働き ／ *Functions of Adjectives*
16 「副詞」とは？ …… 048
副詞の働き ／ *Functions of Adverbs*
17 「前置詞」とは？ …… 050
前置詞で始まる句 ／ *Phrases Starting with Prepositions*
復習タイム 052

基礎ができたら，もっとくわしく。
英語の「品詞」を知ろう …… 054

CHAPTER 04
否定文の基礎

18 否定文のつくり方 ① 056
be 動詞の否定文 ／ *Negative Sentences Using "am/are/is not"*
19 否定文のつくり方 ② 058
一般動詞の否定文（主語が I, you のとき）／ *Negative Sentences Using "do not"*
20 否定文のつくり方 ③ 060
一般動詞の否定文（主語が3人称単数のとき）／ *Negative Sentences Using "does not"*
21 isn't や don't の整理 062
be 動詞・一般動詞の否定文のまとめ ／ *Simple Present Negative (Review)*
復習タイム 064

CHAPTER 05
疑問文の基礎

22 疑問文のつくり方 ① 066
be 動詞の疑問文 ／ *"Are/Is ~?" Questions*
23 Are you ～？などへの答え方 068
be 動詞の疑問文への答え方 ／ *Short Answers to "Are/Is ~?"*
24 疑問文のつくり方 ② 070
一般動詞の疑問文（主語が you のとき）／ *"Do you ~?" Questions*
25 疑問文のつくり方 ③ 072
一般動詞の疑問文（主語が3人称単数のとき）／ *"Does ~?" Questions*
26 Are you ～？や Do you ～？の整理 074
be 動詞・一般動詞の疑問文のまとめ／ *Simple Present Questions (Review)*
復習タイム 076

CHAPTER 06
疑問詞

27 What の疑問文 ① 078
What の疑問文（be 動詞）／ *"What is ~?" Questions*
28 時刻・曜日のたずね方 080
What time ～?, What day ～？／ *Questions about the Time and the Day*
29 What の疑問文 ② 082
What の疑問文（一般動詞）／ *"What do/does ~?" Questions*
30 いろいろな疑問詞 084
Who, Where などの疑問文 ／ *Other Wh- Questions*
31 How の疑問文 086
How の疑問文 ／ *"How is/do ~?" Questions*
復習タイム 088

CHAPTER 07
複数形・命令文・代名詞

32 「複数形」とは？ 090
名詞の複数形 ／ *Singular & Plural Nouns*
33 まちがえやすい複数形 092
複数形の変化に注意する名詞 ／ *Spellings of Plural Forms*
34 数のたずね方 094
How many ～？/ How old ～？など ／ *Questions about Numbers*
35 「命令文」とは？ 096
命令文 ／ *Imperative "Do ~."*
36 「～しないで」「～しましょう」 098
"Don't ~.", "Let's ~."
37 「私を」「彼を」など 100
代名詞（目的格）／ *Object Pronouns*
復習タイム 102

基礎ができたら，もっとくわしく。
「数えられない名詞」とは？ 104
a と the の使い分けを知ろう 105

CHAPTER 08
現在進行形

38 「現在進行形」とは？ …… 106
現在進行形の意味と形 ／ *What is the Present Progressive?*

39 まちがえやすい ing 形 …… 108
ing 形の変化に注意すべき動詞 ／ *Spellings of "-ing" Forms*

40 進行形の否定文・疑問文 …… 110
現在進行形（否定文・疑問文）／ *Present Progressive Questions*

41 「何をしているのですか」…… 112
現在進行形（疑問詞で始まる疑問文）／ *Present Progressive Wh- Questions*

復習タイム 114

CHAPTER 09
過去形・過去進行形

42 「過去形」とは？ …… 116
一般動詞の過去の文 ／ *Past Tense (General Verbs)*

43 まちがえやすい過去形 …… 118
過去形の変化に注意する動詞・不規則動詞 ／ *Spellings of Past Tense & Irregular Verbs*

44 過去の否定文 …… 120
一般動詞の過去の否定文 ／ *Past Negative "didn't"*

45 過去の疑問文 …… 122
一般動詞の過去の疑問文 ／ *Past Questions "Did ~?"*

46 「何をしましたか」…… 124
疑問詞で始まる過去の疑問文 ／ *Past Questions "What did ~?"*

47 was と were …… 126
be 動詞の過去の文 ／ *"was/were"*

48 「過去進行形」とは？ …… 128
過去進行形の形と意味 ／ *Past Progressive*

49 過去の文の整理 …… 130
一般動詞・be 動詞の過去の文（まとめ）／ *Past Tense (Review)*

復習タイム 132

基礎ができたら，もっとくわしく。 前置詞の使い分けを知ろう …… 134

CHAPTER 10
未来の言い方

50 be going to とは？ …… 136
未来を表す文 ／ *"be going to"*

51 be going to の否定文・疑問文 …… 138
未来の否定文・疑問文 ／ *"be going to" Questions*

52 「何をするつもりですか」…… 140
疑問詞で始まる未来の疑問文 ／ *"be going to" Questions with What & How*

53 will とは？ …… 142
未来を表す文 ／ *"will"*

54 will の否定文・疑問文 …… 144
未来の否定文・疑問文 ／ *"Will ~?" Questions*

復習タイム 146

CHAPTER 11
助動詞・have to など

55 「～できる」の can …… 148
助動詞 can の文・can の否定文 ／ *"can"*

56 「～できますか」…… 150
can の疑問文 ／ *"Can ~?" Questions*

57 「～してもいい？」「～してくれる？」…… 152
Can I ～?, Can you ～? ／ *Casual Requests*

58 「～していただけますか」…… 154
Could you ～? ／ *Polite Requests*

59 依頼の Will you ～？など …… 156
"Will/Would you ～?", "May I ～?"

60 「～しましょうか？」 …… 158
"Shall I ～?", "Shall we ～?"

61 「～しなければならない」① …… 160
"have to ～", "has to ～"

62 have to の否定文・疑問文 …… 162
have[has] to ～の否定文・疑問文 ／ "have to" Questions

63 「～しなければならない」② …… 164
"must"

復習タイム 166

CHAPTER 12
不定詞（基礎）・動名詞

64 「不定詞」とは？ …… 168
不定詞の形と使い方 ／ How to Use the Infinitive "to do"

65 「～するために」 …… 170
不定詞（副詞的用法）／ "to do" Adverb Phrases

66 「～すること」 …… 172
不定詞（名詞的用法）／ "to do" Noun Phrases

67 「～するための」 …… 174
不定詞（形容詞的用法）／ "to do" Adjective Phrases

68 「動名詞」とは？ …… 176
動名詞の形と意味 ／ What Are Gerunds?

69 ていねいに希望を伝える言い方 …… 178
"I'd like (to) ～."

70 相手の希望をたずねる言い方 …… 180
"Would you like (to) ～?"

復習タイム 182

CHAPTER 13
接続詞

71 接続詞の that とは？ …… 184
接続詞 that の使い方 ／ Conjunction "that"

72 接続詞の when とは？ …… 186
「時」を表す接続詞 ／ Conjunction "when"

73 接続詞 if, because …… 188
「条件」「理由」を表す接続詞 ／ Conjunction "if/because"

復習タイム 190

CHAPTER 14
いろいろな文型

74 「～があります」 …… 192
"There is/are ～."

75 「～がありますか」 …… 194
There is/are ～. の疑問文と答え方 ／ "Is/Are there ～?" Questions

76 「～になる」「～に見える」など …… 196
become, look などを使う文（SVC）／ "look" & "become" as Linking Verbs

77 「～をあげる」「～を見せる」など …… 198
give, show などを使う文（SVOO）／ "give/show/tell someone something"

78 「A を B と呼ぶ」「A を B にする」 …… 200
call, name, make の文型（SVOC）／ "call/name/make A B" (A=B)

79 tell me that ～などの文 …… 202
tell/show 人 that ～／ "tell/show someone that ～"

復習タイム 204

基礎ができたら，もっとくわしく。 英語の「５文型」を知ろう …… 206

CHAPTER 15
比較

80 「比較級」とは？ ····· 208
比較級の文 ／ *What is "Comparative"?*

81 「最上級」とは？ ····· 210
最上級の文 ／ *What is "Superlative"?*

82 まちがえやすい比較変化 ····· 212
比較級・最上級の変化に注意するもの ／ *Spellings of Comparatives & Superlatives*

83 more, most を使う比較 ····· 214
more・most を使う比較級・最上級 ／ *"more/most" Forms*

84 as を使う比較 ····· 216
"as ～ as …"/ "not as ～ as …"

85 比較の文の整理 ····· 218
比較級 / 最上級 /as ～ as… ／ *Comparative & Superlative (Review)*

復習タイム 220

CHAPTER 16
受け身

86 「受け身」とは？ ····· 222
受け身（受動態）の意味と形 ／ *What is "Passive"?*

87 「過去分詞」とは？ ····· 224
過去分詞 ／ *Past Participles*

88 受け身の否定文・疑問文 ····· 226
受け身（受動態）の否定文・疑問文 ／ *Passive Questions*

89 受け身とふつうの文の整理 ····· 228
受け身（受動態）の文のまとめ ／ *Passive (Review)*

復習タイム 230

CHAPTER 17
現在完了形

90 「現在完了形」とは？ ····· 232
現在完了形の基本的な意味 ／ *What is "Present Perfect"?*

91 「継続」の現在完了形とは？ ····· 234
継続を表す文 ／ *Present Perfect—Continuing Actions*

92 「継続」の否定文・疑問文 ····· 236
現在完了形（継続）の否定文・疑問文 ／ *Present Perfect Questions*

93 「経験」の現在完了形とは？ ····· 238
経験を表す文 ／ *Present Perfect—Experience*

94 「経験」の否定文・疑問文 ····· 240
現在完了形（経験）の否定文・疑問文 ／ *Present Perfect Questions*

95 「完了」の現在完了形とは？ ····· 242
完了を表す文 ／ *Present Perfect—Finished Actions*

96 現在完了形の整理 ····· 244
現在完了形のまとめ ／ *Present Perfect (Review)*

97 「現在完了進行形」とは？ ····· 246
現在完了進行形の意味と形 ／ *Present Perfect Progressive*

復習タイム 248

CHAPTER 18
不定詞（発展）

98 「～することは…です」 ····· 250
"It is … to ～."

99 「～のしかた」 ····· 252
"how to ～"

100 「何をすればよいか」 ····· 254
"what to ～", "where to ～"

101 「～してほしい」 ····· 256
want 人 to ～ ／ *"want someone to do"*

102「〜するように伝える」……258
tell/ask 人 to 〜 ／ *"tell/ask someone to do"*
103 letなどの使い方……260
原形不定詞 ／ *"let/help someone do"*
復習タイム 262

CHAPTER 19
後置修飾
104「机の上の本」など……264
名詞を修飾する前置詞句 ／ *Noun-Modifying Prepositional Phrases*
105「ピアノを弾いている女の子」など……266
名詞を修飾する ing 形 ／ *Noun-Modifying "-ing" Phrases*
106「10 年前に撮られた写真」など……268
名詞を修飾する過去分詞 ／ *Noun-Modifying Past-Participle Phrases*
107「きのう私が読んだ本」など……270
名詞を修飾する〈主語＋動詞〉／ *Noun-Modifying Clauses*
復習タイム 272

CHAPTER 20
関係代名詞
108「関係代名詞」とは？①……274
関係代名詞（主格 who）／ *Relative Pronoun "who"*
109「関係代名詞」とは？②……276
関係代名詞（主格 that, which）／ *Relative Pronouns "that/which" (Subject)*
110「関係代名詞」とは？③……278
関係代名詞（目的格 that, which）／ *Relative Pronouns "that/which" (Object)*
111 関係代名詞の整理……280
関係代名詞の注意点 ／ *Relative Pronouns (Review)*
復習タイム 282

CHAPTER 21
間接疑問・仮定法
112 文の中の疑問文……284
間接疑問 ／ *Indirect Questions*
113「仮定法」とは？……286
仮定法の表す意味 ／ *What is "Subjunctive"?*
114「〜だったらいいのに」……288
仮定法 ／ *Subjunctive "I wish 〜."*
115「もし私があなただったら」……290
仮定法 ／ *Subjunctive "If I were you, I would 〜."*
116「もし〜だったら」……292
仮定法 ／ *Subjunctive "If I had ..., I would 〜."*
復習タイム 294

基礎ができたら，もっとくわしく。
便利な「付加疑問」を使おう……296
カンタンな「感嘆文」を知ろう……297

数の言い方……298
曜日の言い方／月の言い方……299
動詞の語形変化一覧表……300
用語さくいん……304

「解答例と解説」は，答え合わせがしやすいように別冊になっています。
外してお使いください。

アルファベットの書き方・読み方

● アルファベットは全部で 26 文字あり，それぞれに**大文字**と**小文字**があります。

● 手書き用の書体のお手本の右側に，それぞれ 2 〜 3 回ずつ書き，音声を聞いて読み方を確認しましょう。

ここに示した字形は代表的な例です。アルファベットの形は，教科書によって異なる場合があります。

↓活字用の書体

大文字　小文字

(1) A a

↓手書き用の書体（ブロック体）

A a

大文字　小文字

(2) B b

B b

(3) C c

C c

(4) D d

D d

(5) E e

E e

(6) F f

F f

(7) G g

G g

(8) H h

H h

(9) I i

I i

(10) J j

J j

(11) K k

K k

(12) L l

L l

(13) M m

M m

(14) N n

N n

(15) O o

O o

(16) P p

P p

(17) Q q

Q q

(18) R r

R r

(19) S s

S s

(20) T t

T t

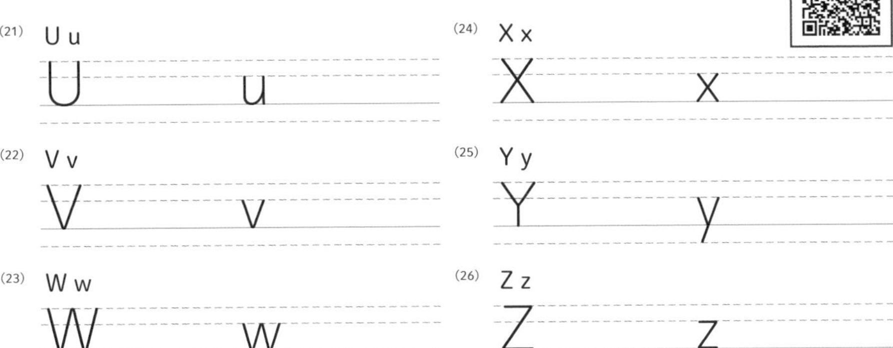

単語の書き方

● 単語を書くときには，文字と文字の間をあけすぎたり，つめすぎたりしないようにしましょう。

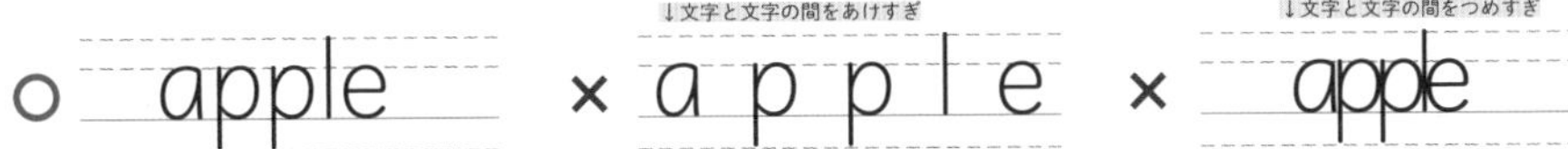

● **人名・地名・曜日名・月名**の最初の文字はいつも大文字で書きます。

東京 Tokyo　月曜日 Monday　4月 April

英文の書き方

● **文の最初は大文字**で書き，文の終わりには**ピリオド**（.）をつけます。

● 単語と単語の間はくっつけずに，小文字１文字分くらいの**スペース**をあけて書きます。

● 疑問文(質問する文)のときは，ピリオドのかわりに**クエスチョン・マーク**（?）をつけます。

● Yes や No のあとには**コンマ**（,）をつけます。

●「私は」の意味の I は，文の最初でなくても，**いつも大文字**で書きます。

LESSON 01 「主語」と「動詞」とは？

英語の文のしくみ／*Subjects & Verbs*

英語の文の骨組みになっているのは**「主語」**と**「動詞」**です。ほんの一部の例外をのぞいて，どんな英文にも「主語」と「動詞」が必要です。

「主語」とは，「私は」「あなたは」「健太は」のように，文の主人公を表すことばです。

上の英文の play は，スポーツなどを「する」という意味の「動詞」です。

「動詞」とは，「歩く」「走る」「話す」「聞く」「好む」「食べる」「勉強する」のように，おもに「動き」を表すことばです。

日本語では，最後の音をのばして言ってみると**「ウー」になるのが動詞**です。

今回の学習では，まだ動詞を覚える必要はありません。**英語の文には主語と動詞が必要**，ということを知っておくだけで OK です。

右ページの英文で，どれが主語で，どれが動詞なのかをチェックしましょう。

文法用語 「主語」は英語で subject というので，高校などではその頭文字をとって S という略号で表されます。「動詞」は verb なので V で表されます。

EXERCISE

答えは別冊2ページ
答え合わせが終わったら，音声に合わせて英文を音読しましょう。

主語をさがして，○で囲みましょう。

（例） (I) play tennis. （私はテニスをします。）
私は する テニス

1 You run fast. （あなたは速く走ります[足が速いですね]。）
あなたは 走る 速く

2 Nick likes baseball. （ニックは野球が好きです。）
ニック 好む 野球

3 We speak Japanese. （私たちは日本語を話します。）
私たちは 話す 日本語

動詞をさがして，○で囲みましょう。

（例） I (play) tennis. （私はテニスをします。）
私は する テニス

4 You work hard. （あなたはよく働きます[仕事熱心ですね]。）
あなたは 働く 一生懸命に

5 I like Italian food. （私はイタリア料理が好きです。）
私は 好む イタリアの 食べ物

6 I have a younger sister. （私には妹がいます。）
私は 持っている 年下の 姉・妹

7 We live in an apartment.
私たちは 住む ～に アパート・マンション
（私たちはマンションに住んでいます。）

LESSON 02 「be 動詞」とは？

be動詞（am, are, is）の働き／*Functions of Linking Verbs*

英語には，run（走る）や play（〈スポーツなどを〉する）などの「動き」を表すふつうの動詞のほかに，be 動詞という特別な動詞があります。

be 動詞とは，**am, are, is** のことです。（この 3 つを be 動詞と呼ぶのは，be という 1 つの動詞が変化してできたものだからです。）

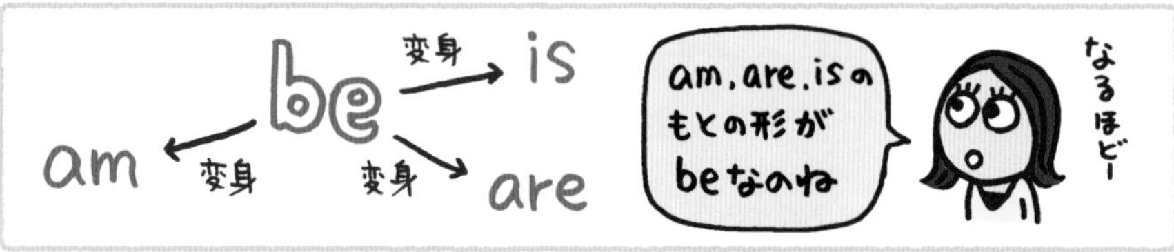

be 動詞は，**「イコール」でつなぐ働き**をする動詞です。

日本語の話しことばでは，「私，ジュディー。」と言うこともありますね。しかし英語では，話しことばでも × I Judy. と言うことはありません。

これは，**「英語の文には動詞が必要」**という大原則があるからです。そのため，「イコールでつなぐ動詞」である be 動詞が必要なのです。

英語の動詞には，①ふつうの動詞（おもに「動き」を表す run や play など）と，今回学習した ② be 動詞（「イコール」を表す）の 2 種類があります。

伝えたい内容によって，この ① ② の 2 種類の動詞を使い分けます。

● 文法用語　I am Judy. の Judy のように，主語とイコールの関係にある語句を「補語（complement）」といい，C という略号で表されます。〈主語＋動詞＋補語〉の形の文は「SVC の文」と呼ばれます。〈→ p.206〉

EXERCISE

答えは別冊2ページ
答え合わせが終わったら，音声に合わせて英文を音読しましょう。

be動詞を○で囲み，be動詞以外の動詞を□で囲みましょう。
be動詞は，前後の語をイコールでつなぐ働きをしていることに注意してください。

（例） I (am) Judy. （私はジュディーです。）

I [play] tennis. （私はテニスをします。）

1 I am busy. （私は忙しい。）
busy 忙しい

2 I like cats. （私はねこが好きです。）
cats ねこ

3 You are kind. （あなたは親切です。）
kind 親切な

4 His house is big. （彼の家は大きい。）
His 彼の　house 家　big 大きい

5 I study English every day.
study 勉強する　English 英語　every day 毎日
（私は毎日英語を勉強します。）

6 Kate is a college student. （ケイトは大学生です。）
college 大学　student 学生

7 Mike is in his room. （マイクは彼の部屋にいます。）
in ～の中に　room 部屋

8 I work at a hospital. （私は病院で働いています。）
work 働く　at ～で　hospital 病院

9 The printer paper is in that box.
printer プリンター　paper 紙　box 箱
（プリンター用の紙はあの箱に入っています。）

LESSON 03 am, are, is の使い分け ①

be動詞の文（主語がI，youのとき）／ "I am 〜." & "You are 〜."

今回からは，be 動詞の 3 つの形（am，are，is）の使い分けについて学習します。

am，are，is のどれを使えばいいかは，文の主語（「〜は」にあたる語）が何なのかによって決まっています。

主語が I（私）のときは，be 動詞は **am** を使います。× I is 〜. などと言うことはありません。

主語が you（あなた）のときには, be 動詞は **are** を使います。× You is 〜. はまちがいです。

I のときは am で，you のときは are です。ルールは簡単ですね。

I am と you are はよく使われるフレーズなので，言いやすいように縮めた **I'm/you're** という短縮形もあります。**会話では，この短縮形がとてもよく使われます。**

次回は，is について学習します。

くわしく　you には「あなたたち」という意味もあります。「すごい！」と相手をほめたいときは，相手が 1 人でも 2 人でも，同じように You're great! と言えば OK です。

EXERCISE

答えは別冊2ページ
答え合わせが終わったら，音声に合わせて英文を音読しましょう。

英語にしましょう。①短縮形を使わない形と，②短縮形（I'm / you're）を使った形の両方で書いてみましょう。

（例）　私はエリカです。
① I am Erika.　　② I'm Erika.

1　私はおなかがすいています。
①
②
おなかがすいて：hungry

2　あなたは背が高い。
①
②
背が高い：tall

3　私は18歳です。
①
②
18歳：eighteen

4　あなたは遅刻です。
①
②
遅刻：late

パッとSpeak!　**絵の人物に言うつもりで，ふきだしの内容を英語で表しましょう。**

この人物に言うつもりで！

ピアノがじょうずな友達に声をかけます。

じょうずだね！

youを主語にしましょう。　じょうず：good

CHAPTER 01 主語と動詞とは・be動詞

LESSON 04 am, are, is の使い分け ②

be動詞の文（主語が単数のとき）／ *Singular "is"*

be 動詞は，主語が I なら am を，you なら are を使うのでしたね。
is を使うのは，主語が I でも you でもない場合です。

主語が，**I でも you でもない「1人の人」**のときは，**is** を使います。
Kenta（健太），my mother（私の母），he（彼），she（彼女）……など，is を使う主語は無数にあります。I と you 以外は is です。

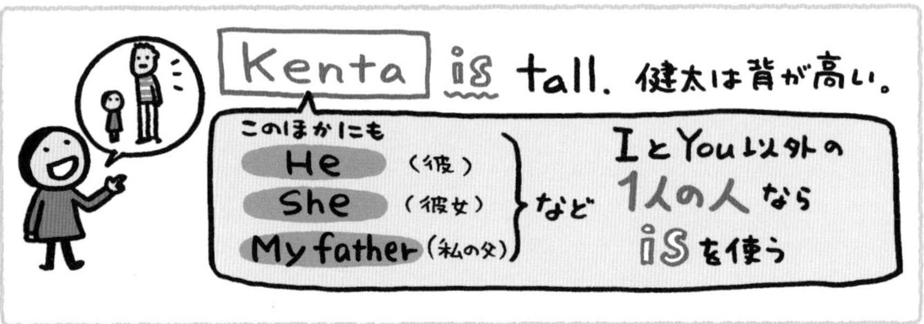

he is と she is には，he is → **he's**，she is → **she's** という短縮形があります。

主語が「1つの物」のときにも is を使います。
this（これ），that（あれ），that house（あの家），my cat（私のねこ）……など，これも無数にあります。

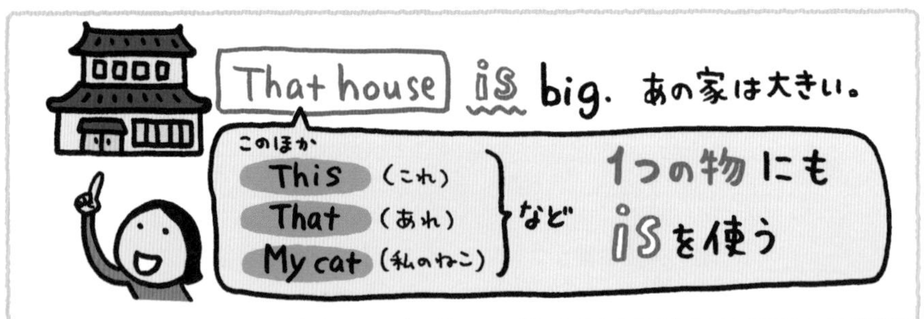

that is には **that's** という短縮形があります。（this is には短縮形がありませんので注意してください。）

まとめると，主語が「1人」または「1つ」のときは is を使えば OK（I と you だけは例外）ということです。

くわしく　this は，This is my book.（これは私の本です。）のように「これ」という意味を表す場合と，This house is big.（この家は大きい。）のように，名詞の前で「この～」という意味を表す場合があります。that も同様です。

EXERCISE

答えは別冊2ページ
答え合わせが終わったら，音声に合わせて英文を音読しましょう。

am, are, isのうち，適する形を（　　）に書きましょう。

1 ジョーンズさんは背が高い。
Mr. Jones（　　　　　）tall.
～さん（男性に使う）

2 あの家は大きい。
That house（　　　　　）big.

3 私は東京の出身です。
I（　　　　　）from Tokyo.

4 あなたは正しい。
You（　　　　　）right.
正しい

5 あなたのアイディアはおもしろいですね。
Your idea（　　　　　）interesting.
あなたの アイディア　おもしろい

6 私の姉は看護師です。
My sister（　　　　　）a nurse.
姉，妹　看護師

7 私のいちばん好きな色はオレンジです。
My favorite color（　　　　　）orange.
いちばん好きな

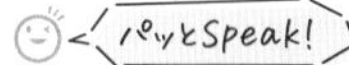

ふきだしの内容を英語で表しましょう。

この人物に言うつもりで！

ごちそうしてもらった食べ物の感想を伝えます。

これおいしい！

おいしい：delicious

CHAPTER 01 主語と動詞とは・be動詞

LESSON 05 am, are, is の使い分け ③

be動詞の文（主語が複数のとき）／ *Plural "are"*

前回，I と you 以外の「1人の人」，「1つの物」には is を使う，と学習しましたね。実は，2人の人や2つの物が主語のときには is は使えないのです。

「1人」または「1つ」のことを単数といい，「2人［2つ］」またはそれ以上のことを複数といいます。

英語は，この単数と複数の区別がとても大切なことばです。主語が単数なのか，複数なのかによって動詞の形を使い分ける必要があります。

be 動詞は，**主語が複数のときには are** を使います。

「健太と大樹は～」のように主語が複数のときは，is ではなく are を使って Kenta and Daiki are ～. とします。

90 ページでくわしく学習しますが，these books（これらの本）や my dogs（私の犬たち）のような複数形（s がついた形）が主語のときも，be 動詞は are を使います。

くわしく　be 動詞のあとには，at home（家に）や in Tokyo（東京に），here（ここに）などの場所を表す語句がくることもあります。この場合，be 動詞は「～にいます」「～にあります」という意味になります。

EXERCISE

→答えは別冊2ページ
答え合わせが終わったら，音声に合わせて英文を音読しましょう。

am，are，isのうち，適する形を（　　）に書きましょう。

1 ジョーンズさんは背が高い。
Mr. Jones (　　　　　) tall.

2 ジョーンズさんとスミスさんは背が高い。
Mr. Jones and Mr. Smith (　　　　　) tall.

3 彼はオーストラリアの出身です。
He (　　　　　) from Australia.

4 彼らはオーストラリアの出身です。
They (　　　　　) from Australia.
彼らは(複数を表す)

5 メグと私は今，京都にいます。
Meg and I (　　　　　) in Kyoto now.
now：今

6 私たちは今，京都にいます。
We (　　　　　) in Kyoto now.
私たちは(複数を表す)

7 私たちはわくわくしています。
We (　　　　　) excited.
excited：わくわくしている

パッとSpeak! **ふきだしの内容を英語で表しましょう。**

この人物に言うつもりで！

旅先で夜，外に出たらすごい星空です。

星がきれい！

星：the stars　　きれい：beautiful

LESSON 06 am, are, is の整理

主語によるbe動詞の変化（まとめ）／ "am/are/is" (Review)

これまでに勉強した，be 動詞の使い方をもう一度確認しましょう。

be 動詞は，主語（「～は」「～が」にあたる語）と，be 動詞のあとにくる語を**「イコール」でつなぐ動詞**です。

Kenta 健太	is ＝	busy. 忙しい	（健太は忙しい。）
		a soccer fan. サッカーのファン	（健太はサッカーファンです。）
		in the kitchen. 台所の中に	（健太は台所にいます。）
		from Tokyo. 東京の出身	（健太は東京の出身です。）

be 動詞には，**am，are，is の３つの形**があります。

am，are，is は，主語によって次のように使い分けます。

	主語	be 動詞		短縮形
	I	am	～.	I'm ～.
	You	are		You're ～.
単数	Kenta	is		—
	That house			—
	He			He's ～.
	She			She's ～.
	This			—
	That			That's ～.
複数	Kenta and Daiki	are		—
	We			We're ～.
	They			They're ～.

• 英会話　I'm ～. は自己紹介だけでなく，自分の状態や居場所を伝えるときにも使います。また，You're ～. は相手をほめるときにも使えます。be 動詞の文は最初に学習するので軽視されがちですが，会話で幅広く使われる生きた表現です。

EXERCISE

答えは別冊2ページ
答え合わせが終わったら，音声に合わせて英文を音読しましょう。

am，are，isのうち，適する形を（　　）に書きましょう。

1 アリスは 25 歳です。
Alice (　　　　　) twenty-five.

2 私はサッカーファンです。
I (　　　　　) a soccer fan.
サッカー　ファン

3 あなたは歌がじょうずですね。
You (　　　　　) a good singer.
よい　歌い手

4 彼らはカナダの出身です。
They (　　　　　) from Canada.
カナダ

5 このスマホ，いいですね！
This smartphone (　　　　　) nice!
スマートフォン

6 あなたの上着はクローゼットに入っていますよ。
Your jacket (　　　　　) in the closet.
上着　クローゼット

7 ジャックと私は大学時代からの友達です。
Jack and I (　　　　　) friends from college.
大学

パッとSpeak! **ふきだしの内容を英語で表しましょう。**

この人物に言うつもりで！

友達とハイキング中に，少し休憩したくなりました。

疲れました。

疲れた：tired

CHAPTER 01 主語と動詞とは・be動詞

復習タイム

答えは別冊2ページ

答え合わせが終わったら，音声に合わせて英文を音読しましょう。

CHAPTER 01　主語と動詞とは・be動詞

1 (　　) 内から適するものを選び，◯で囲みましょう。

1）(She / She's) is a kind teacher.　(彼女は優しい先生です。)

2）(You / You're) late.　(あなたは遅刻です。)

3）We (am / are / is) busy.　(私たちは忙しい。)

4）Your bag (am / are / is) on the desk.
(あなたのかばんは机の上にありますよ。)

5）Emily and Bob (am / are / is) in the living room.
(エミリーとボブは居間にいます。)

2 日本文を英語にしましょう。

1）これは彼の電話です。

彼の電話：his phone

2）あれが私の車です。

私の車：my car

3）彼らはオーストラリアの出身です。

彼らは：they　オーストラリア：Australia

4）彼女の部屋はすてきです。

彼女の部屋：her room　すてきな：nice

5）私の同僚たちはとても親切です。

私の同僚たち：my colleagues　とても：very　親切：kind

3 次の人物になったつもりで，1）～4）の内容を英語にしましょう。

1）

2）

19歳：nineteen

3）

大学生：a college student

4）

（私の）専攻：my major　心理学：psychology

自己紹介でよく使う表現

●出身地

「私は～の出身です。」はI'm from ～.で表します。（fromは「～から(の)，～出身の」という意味です。）

地名や国名は大文字で書き始めることに注意しましょう。

- I'm from Japan.（私は日本の出身です。）
- I'm from Hokkaido.（私は北海道の出身です。）

●年齢

「私は～歳です。」は，I'mのあとに年齢を数で言えばOKです。〈数の言い方→p.298〉

年齢のあとにyears old（歳）をつけることもあります。

- I'm eighteen. / I'm eighteen years old.（私は18歳です。）

●職業

職業などもI'm ～.で言うことができます。

- I'm a high school student.（私は高校生です。）
- I'm a nurse.（私は看護師です。）
- I'm a homemaker.（私は主婦[主夫]です。）

「～(の会社)で働いています」と言うときは，workという一般動詞を使います。

- I work for a car company.（私は自動車会社で働いています。）

LESSON 07

「一般動詞」とは？

一般動詞の文（主語が I, you のとき）／ *Functions of General Verbs*

英語の動詞には，be 動詞とそれ以外の動詞の 2 種類があります。ここからは，be 動詞以外の動詞について学習します。

be 動詞以外のすべての動詞を一般動詞と呼びます。（be 動詞ではない「ふつうの動詞」という意味です。）

「一般動詞」はとてもたくさんある
- play（〈スポーツなどを〉する）
- study（勉強する）
- like（好む）
- watch（〈テレビなどを〉見る）
- have（持っている）

などなど…

これらの動詞を使うときは，日本語との語順のちがいに注意が必要です。

英語ではいつも，**「だれが［何が］（主語）」→「どうする（動詞）」→「何を」**の順番で文を組み立てるのがルールです。日本語の語順とはちがいますね。

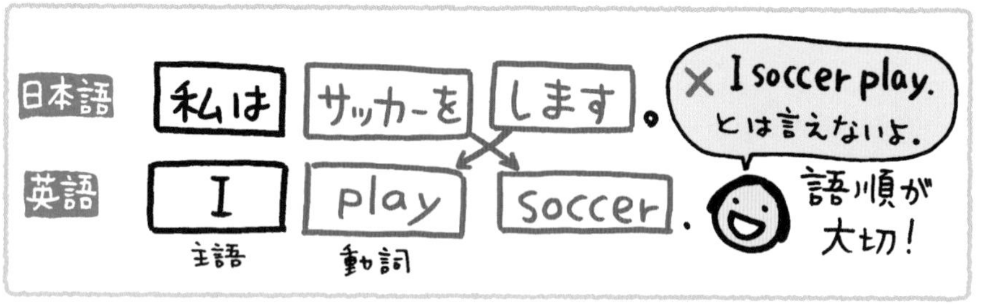

一般動詞の文でとても多いまちがいは，「私は音楽が好きです。」を，× I am like music. としてしまうことです。

英語の文には動詞が必要ですが，**動詞は1つでよい**のです。**like（好む）という動詞（一般動詞）を使うなら，am という動詞（be 動詞）は必要ありません。**

文法用語 I play soccer. の soccer のように，動詞のあとで「〜を」の意味を表す語句を「動詞の目的語」といいます。目的語（object）は O で表され，〈主語＋動詞＋目的語〉の構造の文は「SVO の文」と呼ばれます。〈→ p.206〉

EXERCISE

答えは別冊2ページ
答え合わせが終わったら，音声に合わせて英文を音読しましょう。

適する動詞を（　）に書きましょう。

1 私はゴルフをします。
I (　　　　) golf.
golf: ゴルフ

2 私はかばんの中にスマホを持っています。
I (　　　　) a smartphone in my bag.
bag: かばん

3 私はバスケットボールが好きです。
I (　　　　) basketball.
basketball: バスケットボール

4 私は毎日 YouTube で動画を見ます。
I (　　　　) videos on YouTube every day.
videos: 動画

英語にしましょう。

5 私はギターを弾きます。

「弾く」は「（スポーツなどを）する」と同じ動詞を使う。　ギター：the guitar

6 私は毎日英語を勉強します。

every day.

英語：English

7 私は日本語を話します。

話す：speak　日本語：Japanese

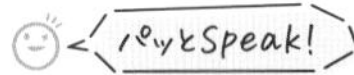

ふきだしの内容を英語で表しましょう。

テレビを見ていたら好きな曲が流れました。

この曲，好き。

主語と動詞のある文にしましょう。　この曲：this song

CHAPTER 02 一般動詞

LESSON 08

「3人称」とは？

主語の「人称」という考え方／ *What is the Third Person?*

英語の勉強を少し進めると，「3人称の主語」のような説明に出会うことがあります。ふだんの生活では使わないことばですが，英語などの外国語を勉強するときには必要な考え方なので，ここで簡単に説明します。

「人称」には，「1人称」「2人称」「3人称」の3種類があります。
（この「1」「2」「3」は，人数とは関係ありません。①②③の番号をつけてあるだけだと思ってください。）

自分をさす語，つまりI（私）を「1人称」と呼びます。（we（私たち）も1人称です。→ p.42）

相手をさす語，つまりyou（あなた・あなたたち）を「2人称」と呼びます。

「自分」と「相手」以外をさす語が「3人称」です。
he（彼）やshe（彼女），Ken（健）などは3人称です。

自分（I）と相手（you）以外はすべて3人称なので，人だけでなく，物や動物もみんな3人称です。

・くわしく　1人称・2人称・3人称それぞれに「単数」と「複数」があります。1人称単数がI（私）で，1人称複数がwe（私たち）です。2人称は，単数（あなた）でも複数（あなたたち）でもyouのままです。

EXERCISE

答えは別冊2ページ
答え合わせが終わったら，音声に合わせて英文を音読しましょう。

主語（下線部）が３人称の英文を選び，（　　）に○を書きましょう。

1 Ms. Brown is a teacher.　（　　）
～さん（女性に使う）
（ブラウンさんは先生です。）

2 I like baseball.　（　　）
（私は野球が好きです。）

3 My father is an engineer.　（　　）
エンジニア・技師
（私の父はエンジニアです。）

4 You are a great cook!　（　　）
すごい　料理人
（あなたはすごく料理がじょうずですね！）

5 This is my notebook.　（　　）
ノート
（これは私のノートです。）

6 Your dog is really cute!　（　　）
本当に　かわいい
（あなたの犬はとてもかわいいですね！）

7 She is from Australia.　（　　）
（彼女はオーストラリアの出身です。）

8 That house is big.　（　　）
（あの家は大きい。）

9 Your English is very good.　（　　）
（あなたの英語はとてもじょうずですね。）

LESSON 09 動詞の形の使い分け ①

一般動詞の文（主語が３人称単数のとき）／ *Third-Person Singular Present*

英語の動詞は，主語によって形が変化します。be 動詞の場合は am，are，is を使い分けるのでしたね。一般動詞の場合はどうでしょう？

主語が I のときと you のときは，一般動詞の形は何も変わりません。つまり，そのままの形で使います。

でも，主語が I（１人称）でも you（２人称）でもないとき，つまり**３人称のときは動詞に s** をつけます。（ただし複数のときは例外です。→ p.36）

たとえば，「彼はギターを弾きます。」なら He plays the guitar. と言います。

× He play the guitar. と言うことはできません。

このように一般動詞は，「そのままの形」と「s をつけた形」の２つを使い分けます。

「私」「あなた」以外の単数の主語を３人称単数の主語といい，動詞につけた s のことを「**３単現**（３人称単数・現在形）の s」といいます。

● くわしく　３単現の s は基本的に［z ズ］と発音しますが，s の直前の音（原形の語尾の発音）が［p プ］［k ク］［f フ］［t ト］のときは［s ス］と発音します。s ではなく es をつける語〈→ p.34〉の es はふつう［iz イズ］と発音します。

EXERCISE

答えは別冊2ページ
答え合わせが終わったら，音声に合わせて英文を音読しましょう。

適する動詞を選び，必要があれば形を変えて（　　）に書きましょう。同じ動詞を２回以上使ってもかまいません。

like　play　come　live　speak　walk　want

1 私はテニスをします。私の母もテニスをします。
I (　　　　) tennis.　My mother (　　　　) tennis, too.
～も

2 私はピアノを弾きます。ジョーンズさんはギターを弾きます。
I (　　　　) the piano.　Mr. Jones (　　　　) the guitar.
ピアノ

3 私はねこが好きです。ニックは犬が好きです。
I (　　　　) cats.　Nick (　　　　) dogs.

4 私は東京に住んでいます。私の兄は京都に住んでいます。
I (　　　　) in Tokyo.　My brother (　　　　) in Kyoto.
兄・弟

5 アレックスは毎日職場まで歩きます（歩いて通勤しています）。
Alex (　　　　) to work every day.
職場

6 私の母は６時に家に帰ってきます。
My mother (　　　　) home at six.
家に

7 彼はじょうずに中国語を話します。
He (　　　　) Chinese well.
中国語

8 彼女は新しいスマホをほしがっています。
She (　　　　) a new smartphone.

LESSON 10 まちがえやすい３単現

３単現の変化に注意する動詞／*Spellings of Third-Person Forms*

主語が３人称単数のときは，動詞の最後に「３単現の s」をつけるのでしたね。

大部分の動詞は，come → comes，like → likes のようにそのまま s をつけるのですが，そうではない動詞が少しだけあります。

have（持っている）の３単現は，**has** という特別な形になります。

× haves ではありませんので注意しましょう。

①特別な形になる動詞

have（持っている）⇨ has（3単現）

go（行く）は，s ではなく **es** をつけて goes となります。

teach（教える），watch（見る），wash（洗う）も，s ではなく es をつけます。

②esをつける動詞

go（行く）⇨ goes（3単現）
teach（教える）⇨ teaches
watch（テレビなどを見る）⇨ watches
wash（洗う）⇨ washes

study（勉強する）は，最後の **y を i に変えて es** をつけ，studies となります。

③y→iesにする動詞

study（勉強する）⇨ studies（3単現）

くわしく　厳密に言えば，es をつけるのは「o, s, x, ch, sh」で終わる動詞（do → does，pass → passes，catch → catches など）で，y → ies にするのは「a, i, u, e, o 以外の文字＋ y」で終わる動詞（carry → carries，try → tries など）です。

EXERCISE

答えは別冊2ページ
答え合わせが終わったら，音声に合わせて英文を音読しましょう。

適する動詞を選び，必要があれば形を変えて（　　）に書きましょう。同じ動詞を２回以上使ってもかまいません。

study　teach　watch　go　have

1 私はねこを１ぴき飼っています。ジムは犬を１ぴき飼っています。
I (　　　　) a cat. Jim (　　　　) a dog.
「飼っている」は「持っている」と同じ動詞を使います。

2 私には兄が１人います。エマにはお姉さんが１人います。
I (　　　　) a brother. Emma (　　　　) a sister.
「(兄・姉が) いる」も「持っている」と同じ動詞を使います。ちなみに英語では，きょうだいの年上・年下は区別せずに単に brother, sister と言うのがふつうです。区別して伝える必要があるときだけ older（年上の）brother, younger（年下の）sister のように言います。

3 ウィリアムズさんは音楽を教えています。
Mr. Williams (　　　　) music.

4 彼女は毎日テレビを見ます。
She (　　　　) TV every day.

5 エリカは熱心に英語を勉強します。
Erika (　　　　) English hard.
hard：熱心に

6 ジョーンズさんは毎年ハワイに行きます。
Ms. Jones (　　　　) to Hawaii every year.
every year：毎年

パッとSpeak! **ふきだしの内容を英語で表しましょう。**

どの電車が東京に行くか聞かれました。

あの電車が東京に行きますよ。

あの電車：that train

動詞の形の使い分け ②

一般動詞の文（主語が複数のとき）／ *Plural Subjects*

一般動詞は，主語によって２つの形を使い分けるのでしたね。主語がＩか you のときは「そのままの形」を使い，それ以外の単数（３人称単数）のときは「s がついた形」を使います。

では，主語が Kenta and Daiki（健太と大樹）のように，２人，つまり複数のときは，動詞はどちらの形を使うのでしょうか。

主語が複数のときは，動詞は s がつかない **「そのままの形」** を使います。

このように一般動詞は，主語が **３人称単数のときだけ「s がついた形」** を使い，それ以外のときは「そのままの形」を使います。この区別をしっかりと覚えておきましょう。

くわしく　複数の主語には，Kenta and Daiki のような A and B の形のもののほかに，cats（ねこ）や these books（これらの本）などの複数形〈→ p.90〉や，代名詞の we（私たち）・they（彼ら・彼女ら・それら）などがあります。

1-13

EXERCISE

答えは別冊2ページ
答え合わせが終わったら，音声に合わせて英文を音読しましょう。

動詞playを，必要があれば形を変えて（　　）に書きましょう。

1 私はギターを弾きます。
I (　　　　　) the guitar.

2 ニックはギターを弾きます。
Nick (　　　　　) the guitar.

3 ニックとレイはギターを弾きます。
Nick and Ray (　　　　　) the guitar.

4 私たちはギターを弾きます。
We (　　　　　) the guitar.
私たちは(複数)

適する動詞を選び，必要があれば形を変えて（　　）に書きましょう。

live	study	speak	like	get	go

5 エリカは毎日英語を勉強します。
Erika (　　　　　) English every day.

6 マイクとクリスはニューヨークに住んでいます。
Mike and Chris (　　　　　) in New York.
ニューヨーク

7 ジムと彼の妹はいっしょに学校に行きます。
Jim and his sister (　　　　　) to school together.
いっしょに

8 私の両親は早起きです。
My parents (　　　　　) up early.
両親　早く

9 彼らはスペイン語を話します。
They (　　　　　) Spanish.
彼らは(複数)　スペイン語

10 ねこは魚が好きです。
Cats (　　　　　) fish.
ねこ(複数)

LESSON 12

動詞の形のまとめ

主語による一般動詞の変化（まとめ）／ *Simple Present Verb Forms (Review)*

be 動詞以外のすべての動詞を「一般動詞」と呼ぶのでしたね。一般動詞はとてもたくさんあります。ここで，基本的なものをもう一度確認しておきましょう。

基本的な一般動詞

□ play（〈スポーツやゲームを〉する，〈楽器を〉演奏する）

□ like（好む）
□ go（行く）
□ watch（〈テレビなどを〉見る）
□ study（勉強する）
□ live（住んでいる）
□ walk（歩く）
□ have（持っている）
□ come（来る）
□ speak（話す）
□ teach（教える）
□ want（ほしがっている）
□ wash（洗う）

be 動詞は，主語によって am, are, is の 3 つの形を使い分けました。

一般動詞は，主語によって**「そのままの形（s がつかない形）」**と，**「s がついた形（3 人称単数・現在形）」**の 2 つを使い分けます。

主語	一般動詞の形	
I（1 人称）	play	～.
You（2 人称）	play	
Kenta / My father / He / She など**3 人称単数**	play**s**	
Kenta and Daiki / We / They など複数	play	

上の表でわかるように，主語が **I でも you でもない単数**（3 人称単数）のときだけ，動詞は「s がついた形」にします。have の 3 人称単数・現在形は has という形になるので注意しましょう。

主語が I のとき，you のとき，複数のときは，動詞はそのままの形で OK です。

学び直し　一般動詞の現在形に s をつけなければならないのは，「I と you 以外のすべての単数（1 人の人・1 つの物）」が主語のときです。これは，be 動詞の文で is を使う主語と同じです。

EXERCISE

答えは別冊2ページ
答え合わせが終わったら，音声に合わせて英文を音読しましょう。

適する動詞を（　　）に書きましょう。必要に応じてsをつけるのを忘れないでください。

1 私は京都に住んでいます。
I (　　　　　) in Kyoto.

2 私の母は犬が好きです。
My mother (　　　　　) dogs.

3 彼らは日本語を話します。
They (　　　　　) Japanese.
日本語

4 私は新しい自転車がほしいです。
I (　　　　　) a new bike.

5 ソフィアとエミリーは毎週末テニスをします。
Sophia and Emily (　　　　　) tennis every weekend.
週末

6 私の兄は車を持っています。
My brother (　　　　　) a car.

7 私は仕事が終わったらジムに行きます。
I (　　　　　) to the gym after work.
ジム　仕事

8 彼女は寝る前にテレビを見ます。
She (　　　　　) TV before bed.
～の前に　ベッド

9 スミス先生はバスで学校に来ます。
Mr. Smith (　　　　　) to school by bus.
～で

10 彼らはとても熱心に日本語を勉強します。
They (　　　　　) Japanese very hard.
熱心に

復習タイム

CHAPTER 02　一般動詞

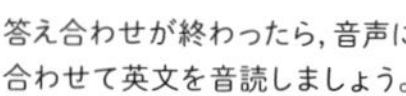

答えは別冊3ページ

答え合わせが終わったら，音声に合わせて英文を音読しましょう。

1-15

1 次の（　　）内から適するものを選び，○で囲みましょう。

1）Emily (is like / like / likes) soccer.
（エミリーはサッカーが好きです。）

2）You (are speak / speak / speaks) good English, Kyoko.
（きみはじょうずな英語を話すね，京子。）

3）Emma and Meg (is go / go / goes) to school together.
（エマとメグはいっしょに学校に行きます。）

4）We (are live / live / lives) in Tokyo.
（私たちは東京に住んでいます。）

2 適する動詞を右から選び，必要があれば形を変えて（　　）に書きましょう。

1）ミラー先生は理科を教えています。
Mr. Miller (　　　　　　) science.

2）私は毎日ギターを練習します。
I (　　　　　　) the guitar every day.

3）私の父は7時に家に帰ってきます。
My father (　　　　　　) home at seven.

4）ケンは毎晩8時間眠ります。
Ken (　　　　　　) eight hours every night.
時間　夜

come
teach
practice
sleep

3 次の日本文を英語にしましょう。

1）私はバスケットボールが好きです。

バスケットボール：basketball

2）エイミー（Amy）はピアノを弾きます。

ピアノ：the piano

3）私の姉は車を持っています。

私の姉：my sister　車：a car

4）私は夕食後にテレビを見ます。

--------------------------------------- after dinner.

5）ブラウン先生（Ms. Brown）は中国語を話します。

中国語：Chinese

6）アンディー（Andy）は毎日ジムに行きます。

--------------------------------------- every day.

ジム：the gym

Coffee Break

haveのいろいろな意味

haveはもっともよく使われる一般動詞の１つで，いろいろな意味があります。

◆「～を持っている」（haveの基本的な意味）
- I have a camera in my bag.（私はかばんの中にカメラを持っています。）

◆「（きょうだいなどが）いる」
- She has a sister.（彼女には姉［妹］が１人います。）

◆「（動物を）飼っている」
- I have a cat.（私はねこを１ぴき飼っています。）

◆「食べる，食事をとる」
- I have rice for breakfast.（私は朝食にごはんを食べます。）

◆「（行事などが）ある」
- We have a meeting today.（今日は会議があります。）

LESSON 13

「代名詞」とは？

代名詞（主格）／ *Subject Pronouns*

「健太」「美樹」「兄」「先生」「本」「りんご」「花」「ねこ」……のように，人や物の名前を表すことばを「名詞」といいます。

「代名詞」とは，これらの具体的な**名詞の代わりに使われることば**です。たとえば，he（彼），she（彼女）は代名詞です。

代名詞を使えば，同じことばを何度もくり返さなくてよいので便利ですね。

一度話に出てきた人や物をさすときには，ふつう代名詞を使います。

まずは，文の主語として使われる，次の代名詞を確認しましょう。

近くの物をさす this（これ）と，離れたところにある物をさす that（あれ）も代名詞です。

物だけでなく，**人を紹介するとき**にも使われます。

複数のときは，this/that の代わりに these（これら）/those（あれら）を使います。

文法用語　I, you, he, she, it, we, they の７つを「人称代名詞」といい，文の主語になるときの形を「主格」といいます。this, that, these, those は，物などを直接指し示すときに使われるので「指示代名詞」といいます。

EXERCISE

答えは別冊3ページ
答え合わせが終わったら，音声に合わせて英文を音読しましょう。

適する代名詞を（　　）に書きましょう。

1 これは私のスマホです。それは新しいです。
This is my smartphone. (　　　　) is new.
↑ my smartphone をさす

2 私の母は音楽が好きです。彼女はピアノを弾きます。
My mother likes music. (　　　　) plays the piano.
↑ my mother をさす

3 スーとケイトは友達です。彼女たちは美術部です。
Sue and Kate are friends. (　　　　) are in the art club.
friends 友達　↑ Sue and Kate をさす　art 美術　club クラブ

4 ブラウン先生は英語の先生です。彼はカナダの出身です。
Mr. Brown is an English teacher. (　　　　) is from Canada.
↑ Mr. Brown をさす

5 私は犬とねこを飼っています。それらはとてもかわいいです。
I have a dog and a cat. (　　　　) are really cute.
↑ a dog and a cat をさす　really とても　cute かわいい

6 私たちは同じ部署で働いています。
(　　　　) work in the same department.
same 同じ　department 部署

パッとSpeak! ふきだしの内容を英語で表しましょう。

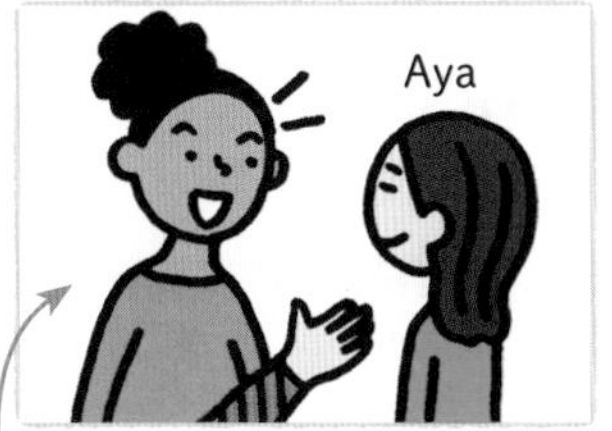

この人物に言うつもりで！

自分の友達を紹介しましょう。

こちらは友人のアヤです。

友人のアヤ：my friend Aya

LESSON 14 「彼の」「私たちの」など

代名詞（所有格）／ *Possessive Pronouns*

「あなたの名前」は，英語では your name と言いますね。この your は，代名詞の you が変化した形です。

英語ではこのように代名詞を変化させて，**「だれだれの～」**という意味を表します。

これらの語は，名詞の前でしか使えないので注意してください。
また，**これらの語を使うときには，名詞に a や the をつけてはいけません。**

代名詞を使わずに「健太の自転車」のように具体的な人の名前で言いたいときには，人の名前のあとに **'s** をくっつければ OK です。

Kenta's bike
健太の 自転車

my father's car
私の 父の 車

文法用語 「だれだれの～」という意味を表す形を「所有格」といい，名詞の前で使われます。ちなみに it（それ）にも its（それの）という所有格があります。it's（it is の短縮形）とちがってアポストロフィーは入りません。

EXERCISE

答えは別冊3ページ
答え合わせが終わったら，音声に合わせて英文を音読しましょう。

適する語を（　）に書きましょう。

1 私のいちばん好きな食べ物はピザです。
（　　　　　）favorite food is pizza.
いちばん好きな　食べ物

2 私たちの理科の先生はブラウン先生です。
（　　　　　）science teacher is Mr. Brown.

3 あなたの日本語はとてもじょうずですね。
（　　　　　）Japanese is very good.
日本語　とても

4 私の兄はテニスをします。これは彼のラケットです。
My brother plays tennis. This is（　　　　　）racket.
ラケット

5 彼らはサッカーチームに入っています。彼らのチームは強いです。
They're on the soccer team.（　　　　　）team is strong.
チーム　強い

6 ミラーさんは日本語を話します。彼女のお母さんは日本人です。
Ms. Miller speaks Japanese.（　　　　　）mother is Japanese.
日本人(の)

7 ティナとリサは姉妹です。彼女たちのお父さんは医師です。
Tina and Lisa are sisters.（　　　　　）father is a doctor.
医師

8 ルーシー（Lucy）のお兄さんは野球が好きです。彼のいちばん好きなチームはヤンキースです。
（　　　　　）brother likes baseball.（　　　　　）favorite team is the Yankees.

LESSON 15

「形容詞」とは？

形容詞の働き／*Functions of Adjectives*

「りんご」「ねこ」「花」「本」「車」「友達」……のように，物や人を表すことばを名詞というのでしたね。

「大きいりんご」「白いねこ」「美しい花」「おもしろい本」「新しい車」「よい友達」……のように，**名詞に情報をプラスすることば**を「形容詞」といいます。

名詞に形容詞をつけるときには，**名詞のすぐ前**におきます。

形容詞は，名詞の前だけで使うわけではありません。**be動詞（am，are，is）のあと**でも使います。

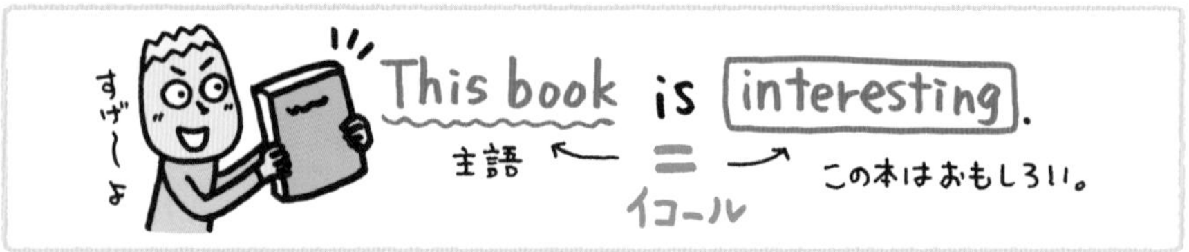

「英語の文には動詞が必要」ですから，× This book interesting. などと言うことはできません。イコールでつなぐ動詞であるbe動詞を忘れないようにしましょう。

文法用語 a big dog のように，うしろの名詞を修飾する用法を，形容詞の「限定用法」といいます。This dog is big. のように，be動詞のあとにおいて主語を説明する用法を，形容詞の「叙述用法」といいます。

EXERCISE

答えは別冊3ページ
答え合わせが終わったら，音声に合わせて英文を音読しましょう。

（　　）内の語を並べかえて，英文を完成しましょう。

1 彼女は大きな犬を飼っています。（ dog / has / big / a ）

She ＿＿＿＿＿＿＿＿＿＿＿＿＿＿＿＿＿＿＿＿ .

大きい：big

2 私は新しいノートパソコンがほしいです。

（ new / a / laptop / want ）

I ＿＿＿＿＿＿＿＿＿＿＿＿＿＿＿＿＿＿＿＿ .

新しい：new　ノートパソコン：laptop

3 これは私のいちばん好きな歌です。（ song / my / favorite ）

This is ＿＿＿＿＿＿＿＿＿＿＿＿＿＿＿＿＿＿＿＿ .

いちばん好きな：favorite

4 この質問は簡単です。（ question / easy / is ）

This ＿＿＿＿＿＿＿＿＿＿＿＿＿＿＿＿＿＿＿＿ .

質問：question　簡単な：easy

5 私にいい考えがあります。（ a / have / idea / good ）

I ＿＿＿＿＿＿＿＿＿＿＿＿＿＿＿＿＿＿＿＿ .

よい：good　考え：idea

6 彼らは古い家に住んでいます。（ in / live / an / house / old ）

They ＿＿＿＿＿＿＿＿＿＿＿＿＿＿＿＿＿＿＿＿ .

古い：old

パッとSpeak!　ふきだしの内容を英語で表しましょう。

見つけた動画を家族にすすめましょう。

この動画，おもしろいよ。

＿＿＿＿＿＿＿＿＿＿＿＿＿＿＿＿＿＿＿＿

動画：video　おもしろい：interesting

LESSON 16

「副詞」とは？

副詞の働き／*Functions of Adverbs*

「私は忙しい。」は，英語では I'm busy. です。

「今私は忙しい。」「今日私は忙しい。」のようにもっとくわしく伝えたいときは，now（今）や today（今日）という語を文の最後にくっつければ OK です。

このように，文に意味をプラスすることばを「副詞」といいます。**時・場所・ようす**など，いろいろな情報をつけ加えることができます。

「いつも」「ときどき」などを表す次の４つの副詞は，文の最後ではなく**一般動詞の前**に入れることが多いので注意しましょう。

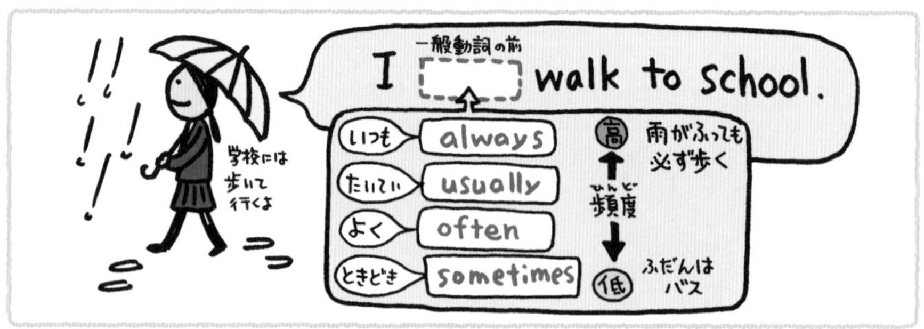

ちなみに often の t は発音されないことが多いです。

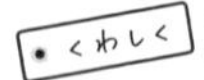

名詞を修飾するのが形容詞で，名詞以外（動詞や形容詞など）を修飾するのが副詞です。always などの頻度を表す副詞は，一般動詞の前または be 動詞のあとに入れるのがふつうです。

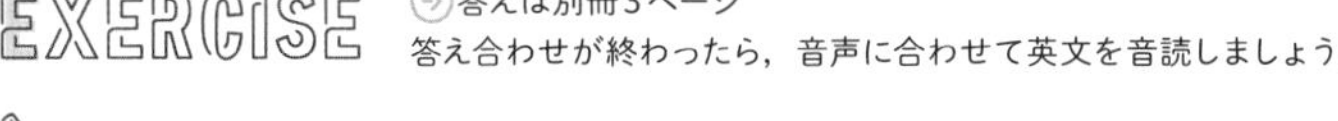

答えは別冊3ページ
答え合わせが終わったら，音声に合わせて英文を音読しましょう。

次の語句を使って，英文に下線部の情報をつけ加えて書きかえましょう。

now	often	usually	here	hard
well	sometimes	every day		

（例） I'm busy. →私は**今**忙しい。
I'm busy now.

1 Nick plays the piano. →ニックは**じょうずに**ピアノを弾きます。

2 I walk to work. →私は**たいてい**歩いて仕事に行きます。

仕事(場)，職場：work

3 Erika studies English. →エリカは**熱心に**英語を勉強します。

4 I watch the news. →私は**毎日**ニュースを見ます。

5 Mr. Smith goes to Tokyo. →スミスさんは**よく**東京に行きます。

6 We play tennis. →私たちは**ここで**テニスをします。

7 I order food online.
→私は**ときどき**オンラインで食べ物（のデリバリー）を注文します。

注文する：order　食べ物：food　オンラインで，ネットで：online

LESSON 17

「前置詞」とは？

前置詞で始まる句／*Phrases Starting with Prepositions*

前回は，He plays the guitar here.（彼はここでギターを弾きます。）のように情報をプラスする言い方を学習しました。

hereのかわりにin the parkを使うと「公園で」という意味になります。

このinのように，**名詞**（ここではthe park）**の前に置くことば**を「前置詞」といいます。前置詞を使うと，いろいろな情報をつけ加えることができます。

基本的な前置詞を覚えておくと，表現の幅が大きく広がります。

学び直し　onは必ずしも「上に」とは限りません。接触している状態を表す前置詞なので，a picture on the wall（壁の絵，壁にかけられた絵）のようにも使われます。いろいろな前置詞の使い方についてはp.134も見てください。

EXERCISE

答えは別冊3ページ
答え合わせが終わったら，音声に合わせて英文を音読しましょう。

適する前置詞を（　　）に書きましょう。

1 私のおじはカナダに住んでいます。
My uncle lives (　　　　) Canada.
おじ

2 あなたのめがねはテーブルの上にありますよ。
Your glasses are (　　　　) the table.
テーブル

3 このバスは東京駅に行きます。
This bus goes (　　　　) Tokyo Station.
駅

4 私は朝食前にシャワーを浴びます。
I take a shower (　　　　) breakfast.
浴びる　朝食

英文に下線部の情報をつけ加えて書きかえましょう。

5 I go to school. →私は**兄と**学校に行きます。

（私の）兄：my brother

6 I have a meeting. →私は **10時に**会議があります。

会議：meeting

7 I have an umbrella. →私は**リュックの中に**かさを持っています。

かさ：umbrella　（私の）リュック：my backpack

8 I study English. →私は**夕食後に**英語を勉強します。

夕食：dinner

9 She teaches English. →彼女は**日本で**英語を教えています。

復習タイム

CHAPTER 03　品詞の基礎

答えは別冊3ページ

答え合わせが終わったら，音声に合わせて英文を音読しましょう。

1 次の（　　）内から適するものを選び，○で囲みましょう。

1）Ms. Smith lives（ in / on / to ）New York.
（スミスさんはニューヨークに住んでいます。）

2）My mother watches TV（ before / after / from ）dinner.
（私の母は夕食後にテレビを見ます。）

3）She plays the guitar（ well / good / hard ）.
（彼女はじょうずにギターを弾きます。）

4）My brother（ well / very / often ）goes to the library.
（私の兄はよく図書館に行きます。）

5）This is（ your / our / my ）English teacher.
（こちらは私たちの英語の先生です。）

2 次の（　　）内の語を並べかえて，英文を完成しましょう。

1）Mr. Brown（ red / a / car / has ）.
Mr. Brown -- .
red：赤い

2）This（ interesting / is / book ）.
This -- .
interesting：おもしろい

3）That（ lady / Sarah / tall / is ）.
That -- .
「あの背の高い女の人はサラです。」という文にする。

4）She（ every / here / day / comes ）.
She -- .

3 次の日本文を英語にしましょう。

1）私たちはよくテニスをします。

2）これが私たちの新しい家です。

家：house

3）この質問は簡単です。

質問：question

4）彼らの会社はとても有名です。

会社：company　とても：very　有名な：famous

5）彼女は自分の部屋にテレビを持っています。

テレビ：TV　（彼女の）部屋：her room

6）私はたいていメグ（Meg）と昼食を食べます。

いろいろな形容詞

対になる形容詞を集めました。両方セットで覚えましょう。

good（よい）	⇔ bad（悪い）	big, large（大きい）	⇔ small（小さい）
new（新しい）	⇔ old（古い）	young（若い）	⇔ old（年とった）
high（高い）	⇔ low（低い）	long（長い）	⇔ short（短い）
glad（うれしい）	⇔ sad（悲しい）	easy（簡単な）	⇔ difficult, hard（難しい）
warm（暖かい）	⇔ cool（すずしい）	hot（熱い・暑い）	⇔ cold（冷たい・寒い）
white（白い）	⇔ black（黒い）	right（正しい）	⇔ wrong（まちがった）
light（明るい）	⇔ dark（暗い）	light（軽い）	⇔ heavy（重い）
busy（忙しい）	⇔ free（ひまな）	*the same（同じ）	⇔ different（ちがった）

*same（同じ）にはいつもtheをつけて使います。

・We work in the same department.（私たちは同じ部署で働いています。）

・Amy and I are in the same class.（エイミーと私は同じクラスです。）

基礎ができたら，もっとくわしく。

英語の「品詞」を知ろう

English Parts of Speech

英語の単語は次の10種類に分けることができます。この分類を「品詞」といいます。品詞は，その単語の文中での働きによって分けられます。

1つの単語が複数の品詞として使われる場合もあります。たとえばJapaneseという単語は，「日本の」という意味の形容詞として使われることもあれば，「日本語」という意味の名詞として使われることもあります。

品詞	例	働き
名詞	cat（ねこ） water（水） music（音楽） Japan（日本） Tom（トム） など	物や人の名前を表す語です。 数えられる名詞（可算名詞）と数えられない名詞（不可算名詞）〈→ p.104〉があります。 Japanのような地名や，Tomのような人名は固有名詞といいます。
代名詞	he（彼は） she（彼女は） it（それは[を]） this（これ） something（何か） など	名詞の代わりに使われる語です。 I, you, he, she, it, we, theyの7つは人称代名詞と呼ばれ，he － his － himのように変化します。〈→ p.100〉 this（これ）やthat（あれ）は指示代名詞，mine（私のもの）やyours（あなたのもの）は所有代名詞と呼ばれます。
動詞	am，are，is go（行く） run（走る） like（好きである） have（持っている） など	「～する」「～である」のように動作や状態を表す語です。be動詞と一般動詞に分けられ，自動詞と他動詞〈→ p.206 ～ 207〉があります。英語の文の骨組みとなる大切な品詞です。 I play tennis.（私はテニスをします。）

助動詞	will（～だろう） can（～できる） may（～してもよい） should（～すべきだ） など	動詞にいろいろな意味をつけ加える語です。おもに話し手の判断を表します。 〈→ p.142 ～ 145，148 ～ 165〉 I can play the piano. （私はピアノを弾くことができます。）
形容詞	good（よい） big（大きい） happy（幸せな） new（新しい） all（すべての） など	人や物のようすや状態を表す語で，名詞を修飾します。〈→ p.46〉 This is a new book. （これは新しい本です。） This book is new. （この本は新しい。）
副詞	now（今） here（ここに） well（じょうずに） always（いつも） など	名詞・代名詞以外を修飾する語です。 おもに動詞や形容詞を修飾します。〈→ p.48〉 He runs fast. （彼は速く走ります。）
前置詞	in（～の中に） to（～へ） with（～といっしょに） before（～の前に） など	名詞や代名詞の前に置く語です。 〈前置詞＋名詞〉の形で，時・場所・方向・手段などを表します。〈→ p.134〉 at nine（９時に） to the station（駅へ）
接続詞	and（～と…，そして） but（しかし） when（～のとき） など	単語と単語や，単語のまとまりどうしをつなぐ語です。〈→ p.184 ～ 189〉 Kenta and Daiki（健太と大樹）
冠詞	a，an，the	名詞の前に入れます。 a と an は不定冠詞，the は定冠詞と呼ばれます。〈→ p.105〉
間投詞	oh, hi, wow など	驚きや喜びなどの感情や，呼びかけなどを表す語です。文中で独立しています。

LESSON 18

否定文のつくり方 ①

be動詞の否定文／*Negative Sentences Using "am/are/is not"*

「私はおなかがすいていません。」「私はテレビを見ません。」のように否定する文を「否定文」といいます。

英語では，be 動詞の文か一般動詞の文かによって，否定文のつくり方が大きくちがいます。今回は be 動詞の文について見てみましょう。

be 動詞の文は，be 動詞（am，are，is）のあとに，「～でない」という意味の**notを入れると否定文**になります。

短縮形を使って I'm not hungry. / She's not a teacher. と言っても OK です。

また，is not → **isn't**，are not → **aren't** という短縮形もあるので，上の右側の文は She isn't a teacher. と言うこともできます。

ただし **am not には短縮形はありません**。× I amn't hungry. と言うことはできないので注意しましょう。

文法用語 否定文に対して，否定ではない文を「肯定文」といいます。また疑問文に対して，疑問文でない文（かつ，命令文でも感嘆文でもない文）を「平叙文」といいます。

答えは別冊４ページ
答え合わせが終わったら，音声に合わせて英文を音読しましょう。

否定文に書きかえましょう。

（例） She is a teacher. →彼女は教師ではありません。
→ She isn't a teacher.

1 This is my phone. →これは私の電話ではありません。

phone：電話

2 I'm a good singer. →私は歌がじょうずではありません。

a good singer：じょうずな歌い手，歌がじょうずな人

3 Amy is a college student. →エイミーは大学生ではありません。

a college student：大学生

4 They are from the U.S. →彼らはアメリカの出身ではありません。

the U.S.：アメリカ

5 I'm ready. →私は準備ができていません。

ready：準備ができて

6 My brother is married. →私の兄は結婚していません。

married：結婚している

パッとSpeak! ふきだしの内容を英語で表しましょう。

「食べる？」とすすめられましたが…。

ありがとう，
でもおなかすいてないんだ。

Thanks, but ～で始めましょう。　おなかがすいている：hungry

CHAPTER 04 否定文の基礎

LESSON 19 否定文のつくり方 ②

一般動詞の否定文（主語がI, youのとき）／ *Negative Sentences Using "do not"*

今回は，一般動詞の否定文について見てみましょう。一般動詞の否定文のつくり方は，be 動詞の否定文とは大きくちがいます。

be 動詞の文は，be 動詞のあとに not を入れれば否定文になりましたね。

しかし一般動詞の文の場合には，× I play not tennis. のように動詞のあとに not を入れても否定文にはなりません。

一般動詞の否定文は，**動詞の前に do not** を入れます。（do not は，ふつうは短縮形の **don't** を使います。）

be 動詞の否定文とのちがいをしっかりとおさえましょう。

主語が You の場合と，主語が複数の場合にも同じように don't を使います。

主語が 3 人称単数のときの否定文は，少しちがう形になります。これについては次回，学習しましょう。

• 英会話 don't は do not の短縮形ですが，日常会話では短縮形の don't を使うほうがふつうです。短縮形を使わずに do not と言うと，あえて強く，意識してはっきりと否定しているように聞こえることがあるので注意しましょう。

EXERCISE

答えは別冊4ページ
答え合わせが終わったら，音声に合わせて英文を音読しましょう。

否定文に書きかえましょう。

（例） I like dogs.　→私は犬が好きではありません。

→　I don't like dogs.

1 I play tennis.　→私はテニスをしません。

2 I know his name.　→私は彼の名前を知りません。

know：知っている　name：名前

3 They use this room.　→彼らはこの部屋を使いません。

use：使う　room：部屋

4 We live here.　→私たちはここには住んでいません。

live：住んでいる

5 I drink milk.　→私は牛乳を飲みません。

drink：飲む　milk：牛乳

6 I like my new job.　→私は新しい仕事が好きではありません。

job：仕事

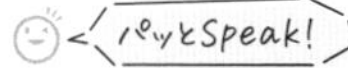

ふきだしの内容を英語で表しましょう。

「アドレス交換しよう」と言われましたが…。

スマホ持ってないんだ。

スマホ：a smartphone

LESSON 20 否定文のつくり方 ③

一般動詞の否定文（主語が3人称単数のとき）／ *Negative Sentences Using "does not"*

一般動詞の否定文は，動詞の前に do not（短縮形は don't）を入れるのでしたね。しかし主語が３人称単数（He, She, Kenta など）の場合だけ，ちがう形になります。

主語が３人称単数の場合には，**do not ではなく does not** を動詞の前に入れます。（ふつうは短縮形の **doesn't** を使います。）

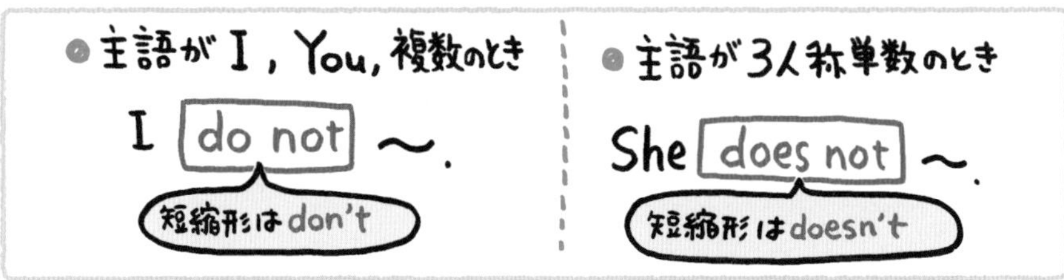

そのとき，ちょっと注意することがあります。

主語が３人称単数のとき，一般動詞は「s がついた形」になりましたね 〈→ p.32〉。しかし否定文では，does not のあとの動詞は **s がつかない「そのままの形」** になります。（この形を「原形」といいます。）

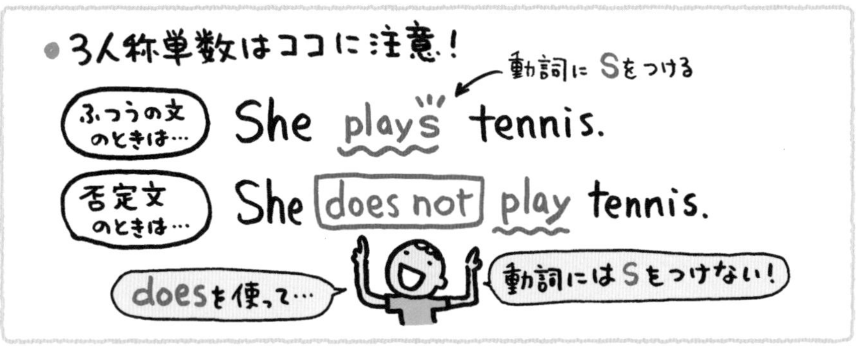

一般動詞の否定文で大切なのは次の２点です。しっかりと確認しておきましょう。

① do not（短縮形 don't）と does not（短縮形 doesn't）を主語によって使い分ける。

② 動詞は必ず，s がつかないそのままの形（原形）を使う。

学び直し　否定文をつくる do not / does not の do と does は，can などと同じ「助動詞」に分類されます。そのため，あとにくる動詞はいつも原形になります。

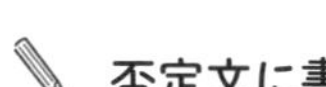

答えは別冊4ページ
答え合わせが終わったら，音声に合わせて英文を音読しましょう。

否定文に書きかえましょう。

（例） She plays tennis. →彼女はテニスをしません。
→ She doesn't play tennis.

1 Mike lives in Tokyo. →マイクは東京に住んでいません。

2 Alex likes sushi. →アレックスはすしが好きではありません。

sushi：すし

3 My mother drinks coffee. →私の母はコーヒーを飲みません。

drink：飲む coffee：コーヒー

4 My grandfather watches TV. →私の祖父はテレビを見ません。

grandfather：祖父

5 Mr. Smith speaks Japanese. →スミスさんは日本語を話しません。

6 Ms. Miller has a smartphone. →ミラーさんはスマホを持っていません。

smartphone：スマートフォン

パッとSpeak! ふきだしの内容を英語で表しましょう。

「東駅に止まりますか？」と聞かれました。

この電車は東駅(Higashi Station)
には止まりません。

電車：train ～に止まる：stop at ～

LESSON 21
isn't や don't の整理

be動詞・一般動詞の否定文のまとめ／*Simple Present Negative (Review)*

否定文のつくり方は，be 動詞（am, are, is）の文の場合と，一般動詞の文の場合とで異なります。もう一度確認しましょう。

be 動詞の否定文は，be 動詞（am, are, is）のあとに not を入れます。

				短縮形 (1)		短縮形 (2)	
I	am	not	～.	I'm	not ～.	——	
You We They その他，複数の主語	are			You're We're They're		You We They	aren't ～.
He She It その他，単数の主語	is			He's She's It's		He She It	isn't ～.

（短縮形は，(1)(2)のどちらのパターンを使ってもかまいません。）

一般動詞の否定文は，動詞の前に do not か does not を入れます。**動詞はいつも原形を使う**ことに注意してください。

I	do not [don't]	play など，動詞の原形	～.
You We They その他，複数の主語			
He She It その他，単数の主語	does not [doesn't]		

くわしく　一般動詞の否定文なら don't か doesn't を使い，be 動詞は使いません。×I'm don't play ～. や×He isn't play ～. のような形はありません。混同しないように注意しましょう。

EXERCISE

答えは別冊4ページ
答え合わせが終わったら，音声に合わせて英文を音読しましょう。

[　　] から適する語を選び，(　　) に書きましょう。
be動詞の文なのか，一般動詞の文なのかに注意しましょう。

1 私はテニスがじょうずではありません。
I (　　　　) not a good tennis player.（プレーする人） [am / do]

2 私はコーヒーを飲みません。
I (　　　　) not drink coffee. [am / do]

3 私は高校生ではありません。
I (　　　　) not a high school student. [am / do]

4 ジョンはゴルフをしません。
John (　　　　) not play golf.（ゴルフ） [is / does]

5 ジョンは今，ここにはいません。
John (　　　　) not here now.（ここに） [is / does]

[　　] から適する語を選び，(　　) に書きましょう。
主語による使い分けに注意しましょう。

6 私はパスワードを知りません。
I (　　　　) know the password.（パスワード） [don't / doesn't]

7 私の兄は車を運転しません。
My brother (　　　　) drive a car.（運転する） [don't / doesn't]

8 私たちは家にプリンターを持っていません。
We (　　　　) have a printer at home.（プリンター）
[don't / doesn't]

復習タイム

CHAPTER 04　否定文の基礎

答えは別冊4ページ

答え合わせが終わったら，音声に合わせて英文を音読しましょう。

1 次の（　　）内から適するものを選び，○で囲みましょう。

1）Emily（ isn't / don't / doesn't ）like coffee.

2）I（ isn't / don't / am not ）live in Tokyo.

3）My sister（ isn't / don't / doesn't ）a soccer fan.

4）They（ aren't / don't / doesn't ）from Osaka.

5）That（ isn't / don't / doesn't ）my house.

2 次の文を否定文に書きかえましょう。

1）I'm at home now.

----

at home：家に

2）I like science.

----

science：理科

3）My grandmother watches TV.

----

grandmother：祖母

4）Lucy speaks Japanese at home.

----

at home：家で，家では

5）Emma and I are on the same team.

----

the same：同じ　team：チーム

3 次の日本文を英語にしましょう。

1）私は彼女のメールアドレスを知りません。

知っている：know　メールアドレス：e-mail address

2）スミスさん（Mr. Smith）は日曜日には朝食を作りません。

朝食を作る：make breakfast　日曜日には：on Sundays

3）私のおじはテレビを持っていません。

おじ：uncle　テレビ：TV

4）ミラー先生（Ms. Miller）は英語の先生ではありません。

英語の先生：an English teacher

5）今，ジョンとサンディー（John and Sandy）はここにはいません。

ここに：here　今：now

Coffee Break

覚えておきたい動詞 ①

これまでに出てきた一般動詞をまとめました。どれも基本的な動詞ですから，意味をしっかりと確認しておきましょう。

- □ play　（スポーツやゲームを）する，（楽器を）演奏する
- □ have　持っている，（きょうだいなどが）いる，（動物を）飼っている，食べる

□ like	好む	□ live	住んでいる	□ know	知っている
□ go	行く	□ come	来る	□ want	ほしがっている
□ walk	歩く	□ run	走る	□ drive	運転する
□ speak	話す	□ use	使う	□ watch	（テレビなどを）見る
□ study	勉強する	□ teach	教える	□ make	作る
□ eat	食べる	□ drink	飲む	□ wash	洗う

LESSON 22 疑問文のつくり方 ①

be動詞の疑問文／ *"Are/Is ～?" Questions*

「あなたはおなかがすいています。」のようなふつうの文に対して，「あなたはおなかがすいていますか？」のように質問する文を「疑問文」といいます。

英語では，疑問文になると，文の形（おもに語順）がふつうの文と変わります。また，文の最後はピリオド（.）ではなくクエスチョン・マーク（？）になります。

疑問文のつくり方は，be 動詞の文か一般動詞の文かによって大きくちがいます。まずは be 動詞の疑問文から学習していきましょう。

be 動詞の疑問文は，be 動詞で文を始めます。

たとえば主語が you なら，Are で文を始めて Are you ～？とします。

主語が３人称単数（he，she，this など）なら，Is で文を始めます。

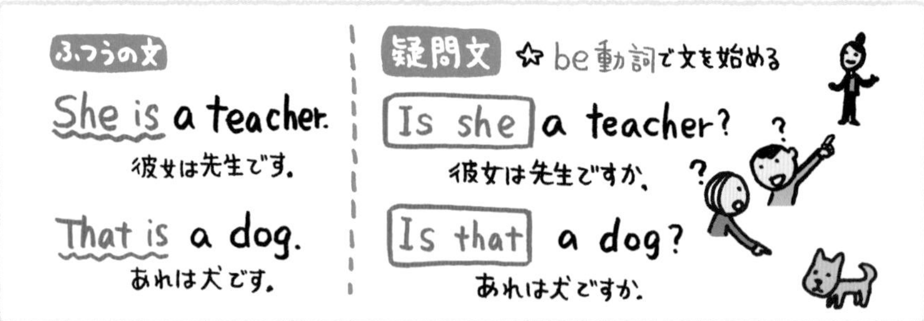

あまり使われませんが，I am ～. の疑問文もあります。Am で文を始めて Am I late? とすれば「私は遅刻ですか。」という意味になります。

• 英会話　Yes/No で答えられる疑問文は，Are you hungry?（↗）のように，最後の部分を上げ調子で言うのが基本です。

答えは別冊4ページ
答え合わせが終わったら，音声に合わせて英文を音読しましょう。

疑問文に書きかえましょう。

（例） You are hungry. →あなたはおなかがすいていますか。
→ Are you hungry?

1 That is Mt. Fuji. →あれは富士山ですか。

Mt.：～山

2 This is your jacket. →これはあなたの上着ですか。

jacket：上着

3 They're in the same class. →彼らは同じクラスですか。

the same：同じ　class：クラス

4 She's a professional tennis player. →彼女はプロのテニスプレーヤーですか。

professional：プロの　player：プレーヤー，選手

5 Kate is there. →ケイトはそこにいますか。

there：そこに

6 You are from China. →あなたは中国の出身ですか。

China：中国

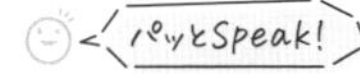

ふきだしの内容を英語で表しましょう。

友達に電話。話したいことがあるんだけど…。

今，忙しい？

忙しい：busy　今：right now

LESSON 23

Are you ～？などへの答え方

be動詞の疑問文への答え方／ *Short Answers to "Are/Is ～?"*

be 動詞の疑問文は，be 動詞で文を始めて Are you ～？や Is he ～？の形にするのでしたね。これらに対しては，Yes（はい）か No（いいえ）で答えます。

Are you ～？（あなたは～ですか）には，Yes, I am. / No, I am not.（または短縮形を使った No, I'm not.）で答えます。

疑問文に Yes で答えるときには短縮形は使えません。**× Yes, I'm. はまちがいです。**

Is ～？の疑問文には，主語によって３通りの答え方があります。

① 主語が男性なら，**he** を使って Yes, he is. / No, he is not. で答えます。（短縮形は No, he isn't. / No, he's not.）

② 主語が女性なら **she** を使います。（短縮形は No, she isn't. / No, she's not.）

③ 主語が物なら **it** を使います。（短縮形は No, it isn't. / No, it's not.）

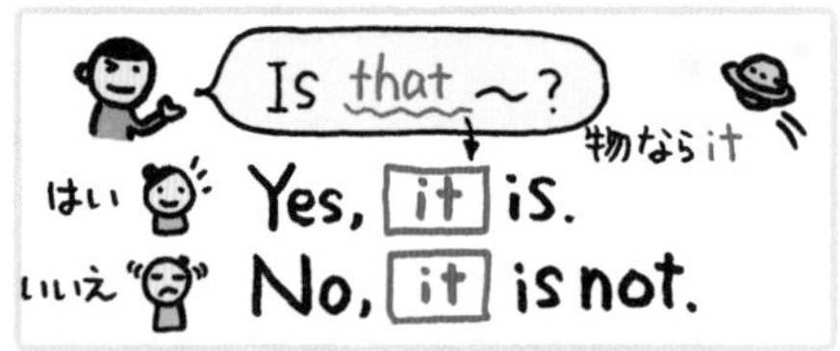

主語が**複数のときは，人でも物でも they**（彼ら・彼女ら・それら）を使って Yes, they are. / No, they are not. で答えます。（短縮形は No, they aren't. / No, they're not.）

英会話　No で答えたあとには，相手が知りたいと思う情報を追加して言うとやりとりがスムーズに続きます。たとえば Are you from Tokyo? と聞かれて No なら，No, I'm not. と答えるだけでなく，I'm from Chiba. のように続けましょう。

1-28

EXERCISE

→答えは別冊4ページ
答え合わせが終わったら，音声に合わせて英文を音読しましょう。

次の質問に英語で答えましょう。① はい と答える場合と，② いいえ と答える場合の両方を書いてみましょう。

（例） Are you Erika?（あなたはエリカですか。）
① Yes, I am. ② No, I'm not.

1 Is Mr. Smith from Canada?（スミスさんはカナダの出身ですか。）
① ②

2 Is your sister in Japan?（あなたのお姉さんは日本にいますか。）
① ②

3 Are you a college student?（あなたは大学生ですか。）
① ②

college：大学 student：学生，生徒

4 Is that Mt. Fuji?（あれは富士山ですか。）
① ②

Mt.：～山

5 Is this your jacket?（これはあなたの上着ですか。）
① ②

jacket：上着

6 Are your parents busy?（あなたのご両親は忙しいですか。）
① ②

parents：（複数形で）両親

7 Is your brother married?（あなたのお兄さんは結婚していますか。）
① ②

married：結婚している

8 Are they in a meeting?（彼らは会議中ですか。）
① ②

meeting：会議

LESSON 24 疑問文のつくり方 ②

一般動詞の疑問文（主語がyouのとき）／ "Do you ～?" Questions

前回までは，be 動詞の疑問文について学習しました。今回からは，play や like などの一般動詞の疑問文について見ていきましょう。

be 動詞の疑問文は，be 動詞で文を始めれば OK でしたね。しかし一般動詞の場合は，動詞で文を始めて × Like you cats? などとしても疑問文にはなりません。

一般動詞の場合，疑問文をつくるときには Do の助けを借ります。（do は否定文をつくるときにも出てきましたね。〈→ p.58〉）**Do を文の最初にポンとおく**のです。

「あなたはねこが好きですか。」を，× Are you like cats? としてはダメですよ。**like という動詞（一般動詞）を使うなら，Are という動詞（be 動詞）は使いません。**

Do ～？の疑問文には，Yes か No で答えます。Yes の答えなら，do を使います。No の答えなら，do not を使います。（ふつうは短縮形の don't を使います。）

文法用語　Do you like cats? に対する答えの文 Yes, I do. の do は「代動詞」と呼ばれます。Yes, I like cats. の下線部の代わりとして do が使われています。また，× Yes, I like. とだけ答えることはないので注意しましょう。

EXERCISE

答えは別冊4ページ
答え合わせが終わったら，音声に合わせて英文を音読しましょう。

疑問文に書きかえましょう。

1 You like soccer. →あなたはサッカーが好きですか。

2 You live near here. →あなたはこの近くに住んでいますか。

near：～の近くに here：ここ

3 You use this app. →あなたはこのアプリを使っていますか。

app：アプリ

英語にしましょう。
そのあとで，その質問に ①はい と ②いいえ で答えましょう。

（例） あなたはねこが好きですか。
Do you like cats?
→ ① Yes, I do. ② No, I don't.

4 あなたは英語を話しますか。

話す：speak

→ ① ②

5 あなたは毎日ジムに行きますか。

ジム：the gym 毎日：every day

→ ① ②

6 あなたは彼女の名前を知っていますか。

知っている：know

→ ① ②

7 あなたは週末はお仕事をしますか。

仕事をする，働く：work 週末に：on weekends

→ ① ②

LESSON 25
疑問文のつくり方 ③

一般動詞の疑問文（主語が3人称単数のとき）／ *"Does ～?" Questions*

一般動詞の否定文をちょっと思い出してください〈→ p.60〉。主語によって do not と does not を使い分けましたね。疑問文も同じで，Do と Does を使い分けます。

主語が 3 人称単数の場合には，**Do ではなく Does** を使います。

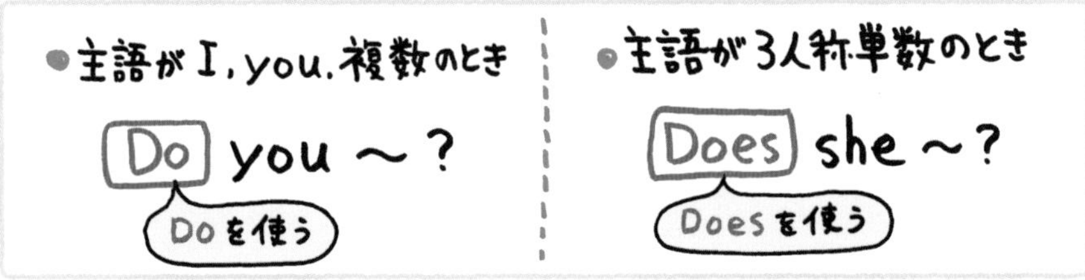

そのとき，注意しなければならないことがあります。

疑問文では，動詞は **s がつかない「そのままの形」**（原形）を使うということです。

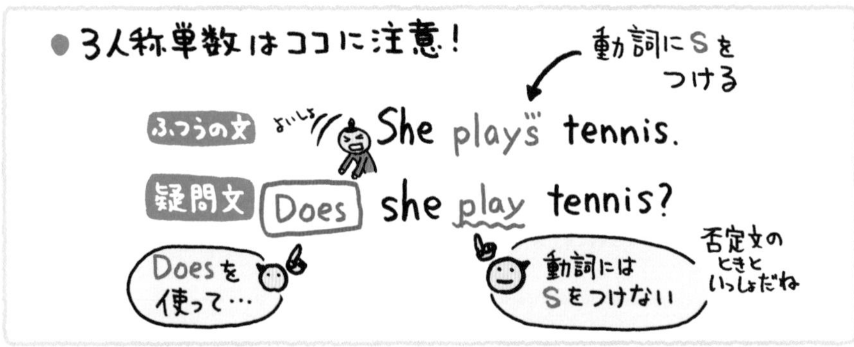

一般動詞の疑問文で大切なことは，否定文と同じですね。つまり，

① Do と Does を使い分ける　② 動詞は必ず原形を使う　ということです。

Do ～？には do で答えたように，Does ～？には does で答えます。

学び直し　疑問文をつくる Do / Does は，can や will と同じ「助動詞」に分類されます。そのため，あとにくる動詞はいつも原形になります。

EXERCISE

答えは別冊５ページ
答え合わせが終わったら，音声に合わせて英文を音読しましょう。

疑問文に書きかえましょう。

1 She plays tennis. →彼女はテニスをしますか。

2 He lives in London. →彼はロンドンに住んでいますか。

London：ロンドン

3 The store closes at eight. →その店は８時に閉まりますか。

store：店　close：閉まる

英語にしましょう。
そのあとで，その質問に ①はい と ②いいえ の両方で答えましょう。

（例） アンディーはねこが好きですか。

Does Andy like cats?

→ ① Yes, he does.　② No, he doesn't.

4 ミラーさん（Ms. Miller）はスペイン語を話しますか。

スペイン語：Spanish

→ ①　②

5 ティナ（Tina）は何かペットを飼っていますか。

何か：any　ペット：pet（any のあとでは複数形にする）　ここでは Tina は女性の名前。

→ ①　②

6 このバスは東京駅（Tokyo Station）に行きますか。

バス：bus

→ ①　②

7 スミスさん（Mr. Smith）はこれについて知っていますか。

知っている：know　これについて：about this

→ ①　②

LESSON 26 Are you ～？やDo you ～？の整理

be動詞・一般動詞の疑問文のまとめ／*Simple Present Questions (Review)*

疑問文のつくり方は，be動詞（am, are, is）の文の場合と，一般動詞の文の場合とで異なります。もう一度確認しましょう。

be動詞の疑問文は，**be動詞（am, are, is）**で文を始めます。

Am	I	～？
Are	you we they その他すべての複数の主語	～？
Is	he she it その他すべての単数の主語	～？

答え方

Are you ～?
→ Yes, I am. / No, I'm not.

Is Kenta ～?
→ Yes, he is. / No, he isn't.

Is this ～?
→ Yes, it is. / No, it isn't.

・答えの文の主語は，I / he / she / it / we / they などの代名詞を使う。

一般動詞の疑問文は，文の最初に **Do か Does** をおきます。**動詞はいつも原形**を使うことに注意してください。

Do	I	play など，動詞の原形	～？
Do	you we they その他すべての複数の主語	play など，動詞の原形	～？
Does	he she it その他すべての単数の主語	play など，動詞の原形	～？

答え方

Do you ～?
→ Yes, I do. / No, I don't.

Does Kenta ～?
→ Yes, he does.
No, he doesn't.

・答えの文の主語は，I / he / she / it / we / they などの代名詞を使う。

・くわしく　you には「あなた」のほかに「あなたたち（複数）」という意味もあります。「あなたたちは～」の意味で Are you ～? と質問し，それに対して Yes, we are. / No, we aren't. のように we で答えることもありえます。

EXERCISE

答えは別冊5ページ
答え合わせが終わったら，音声に合わせて英文を音読しましょう。

［　］から適する語を選び，（　）に書きましょう。
be動詞の文なのか，一般動詞の文なのかに注意しましょう。

1 あなたはサッカーファンですか。
（　　　） you a soccer fan? ［ Are / Do ］

2 あなたはコーヒーが好きですか。
（　　　） you like coffee? ［ Are / Do ］

3 あなたは今，忙しいですか。
（　　　） you busy now? ［ Are / Do ］

4 エマはゴルフをしますか。
（　　　） Emma play golf? ［ Is / Does ］

5 エマはそこにいますか。
（　　　） Emma there? ［ Is / Does ］

［　］から適する語を選び，（　）に書きましょう。
主語による使い分けに注意しましょう。

6 あなたはブラウンさんを知っていますか。
（　　　） you know Mr. Brown? ［ Do / Does ］

7 彼らはたくさん旅行をしますか。
（　　　） they travel a lot? ［ Do / Does ］
travel：旅行する

8 あなたのお母さんは在宅勤務ですか。
（　　　） your mother work from home?
［ Do / Does ］

復習タイム

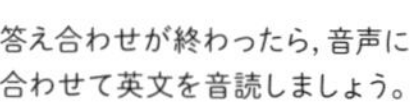

1-32

答えは別冊5ページ

答え合わせが終わったら，音声に合わせて英文を音読しましょう。

CHAPTER 05　疑問文の基礎

1 次の（　　）内から適するものを選び，○で囲みましょう。

1）(Is / Do / Does) she a good singer?
歌い手

2）(Are / Do / Does) you get up early every day?
早く

3）(Is / Do / Does) that your room?

4）(Is / Do / Does) your uncle live in Tokyo?
おじ

2 次の文を疑問文に書きかえましょう。

1）She's busy today.

2）Meg likes science.

---

science：理科

3 次の質問に，（　　）内の内容で答える英文を書きましょう。

1）Is that your computer?　（はい）　________

2）Do you walk to school?　（いいえ）　________

3）Does Mr. Johnson drive a car?　（はい）　________

drive：運転する　car：車

4）Are they at the park?　（いいえ）　________

4 次の日本文を英語にしましょう。

1）あなたは野球が好きですか。

野球：baseball

2）アリス（Alice）はピアノを弾きますか。

ピアノ：the piano

3）あなたは電車で通勤していますか。

仕事に行く：go to work　電車で：by train

4）スミス先生（Mr. Smith）は数学の先生ですか。

数学の先生：a math teacher

5）マイク（Mike）はオーストラリアの出身ですか。

オーストラリア：Australia

6）マイクとボブ（Bob）は日本語を話しますか。—いいえ，話しません。

—

Coffee Break

覚えておきたい動詞 ②

今の段階でぜひ覚えておきたい，基本的な一般動詞を集めました。急がずに，少しずつマスターしていきましょう。また，巻末のp.300に動詞の語形変化がまとめてありますので，活用してください。

- □ get　手に入れる
- □ see　見える，会う
- □ cook　料理する
- □ open　開ける
- □ wait　待つ
- □ read　読む
- □ hear　聞こえる
- □ help　助ける，手伝う
- □ close　閉める
- □ look　見る，目を向ける
- □ write　書く
- □ talk　話す，しゃべる
- □ swim　泳ぐ
- □ leave　去る，出発する
- □ listen　聞く，耳をかたむける
- □ take　取る，（乗り物に）乗っていく，（時間が）かかる

LESSON 27
Whatの疑問文 ①

Whatの疑問文（be動詞）／ *"What is ～?" Questions*

疑問文には，大きく分けて２つのタイプがあります。① Yes / No を聞き出すための疑問文と，② 具体的な情報を聞き出すための疑問文です。これは日本語でも同じです。

左の人物は，あれが学校なのか学校でないのか，つまり①「Yes か No か」を知りたいだけです。それに対して右の人物は，②「何なのか」という具体的な情報を求めています。

これまで学習してきた疑問文は，実はすべて①のタイプのものでした。今回からは，②のタイプの疑問文を学習します。これをマスターすると，英語でいろいろなことが質問できるようになります。

まずは，「何？」とたずねる疑問文から学習していきます。
「何？」とたずねるときには What で文を始めます。**「～は何ですか」** は，**What is ～？**（短縮形は What's ～？）でたずねます。

What is ～？には，**It is ～.**（短縮形 It's ～.）の形で「それは～です」と答えます。What's this? や What's that? と聞かれたときも，This is ～. や That is ～. ではなく It is ～. で答えるのが基本です。

英会話 What などは「疑問詞」と呼ばれます。疑問詞で始まる疑問文（Yes / No で答えない疑問文）は，What's this?（↘）のように，最後の部分を下げ調子で言うのが基本です。

EXERCISE

→答えは別冊5ページ
答え合わせが終わったら，音声に合わせて英文を音読しましょう。

英語にしましょう。

1 これは何ですか。

2 あれは何ですか。

3 あなたのメールアドレスは何ですか。

メールアドレス：e-mail address

4 あなたのいちばん好きなスポーツは何ですか。

いちばん好きな：favorite　スポーツ：sport

5 この箱の中に何がありますか。

この箱の中に：in this box

次の質問に英語で答えましょう。（　）内の内容を答えてください。

6 What's this?（→ハムのサンドイッチです。）

ハムのサンドイッチ：a ham sandwich

7 What's this dish?（→油で揚げたとうふです。）
dish 料理

油で揚げた：fried　とうふ：tofu

8 What's that building?（→美術館です。）
building 建物

美術館：an art museum

LESSON 28 時刻・曜日のたずね方

What time ～?, What day ～? ／ *Questions about the Time and the Day*

What には「何」のほかに「何の～」という意味もあります。

たとえば,「時間」という意味の time という語を使って **What time ～?** とすると,「何の時間」つまり **「何時？」** とたずねることができます。

What time is it? で,「(今) 何時ですか。」という意味になります。この質問には, ふつう It's ～. の形で答えます。〈数の言い方→ p.298〉

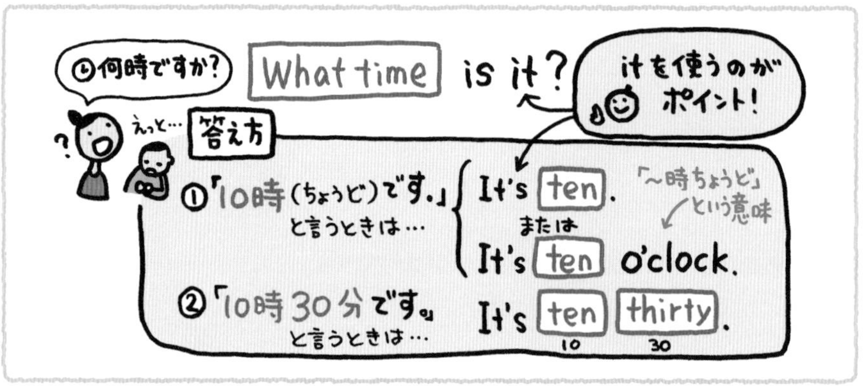

また,「日, 曜日」という意味の day という語を使って **What day ～?** とすると,「何の曜日」つまり **「何曜日？」** とたずねることができます。

What day is it today? で「今日は何曜日ですか。」という意味になります。この質問にも, ふつう It's ～. の形で答えます。〈曜日の言い方→ p.299〉

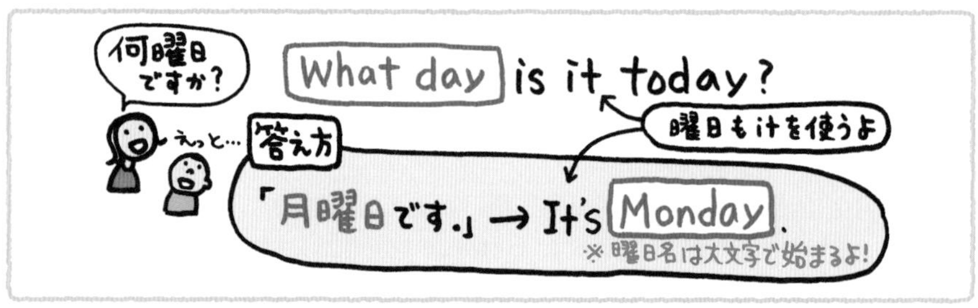

時刻や曜日などを言う文では, 主語として it が使われます。この場合の it は何か物をさしているわけではなく,「それ」とは訳しません。

くわしく　時刻は What's the time? / Do you have the time? などとたずねることもあります。日付は What's the date today?（今日は何日ですか。）のようにたずね, It's May 5.（fifth と読む）のように序数〈→ p.298〉で答えます。

EXERCISE

答えは別冊5ページ
答え合わせが終わったら，音声に合わせて英文を音読しましょう。

英語にしましょう。

1 何時ですか。

2 今日は何曜日ですか。

今日は：today

3 ニューヨークでは何時ですか。

ニューヨークでは：in New York

次の質問に英語で答えましょう。①～④のそれぞれの場合の答えを書いてみましょう。（p.298 ～ 299の「数の言い方」「曜日の言い方」を見てもかまいません。）

4 What time is it?

① 5:00

② 6:30

③ 8:20

④ 11:15

5 What day is it today?

① 日曜日

② 月曜日

③ 水曜日

④ 土曜日

LESSON 29 Whatの疑問文 ②

Whatの疑問文（一般動詞）／ *"What do/does ～?" Questions*

前回までは, What is ～？などの be 動詞の疑問文を学習しました。今回は,「何を持っていますか（have)」「何が好きですか（like)」などの一般動詞の疑問文を見てみましょう。「What で文を始める」ということと，do，does を使った一般動詞の疑問文のつくり方〈→ p.70，72〉を知っていれば簡単です。

はじめに, **「あなたは何を持っていますか。」**という have の文で考えてみましょう。

まずは What で文を始めます。そのあとに,「あなたは持っていますか」という一般動詞の疑問文の形（do you have?）を続ければいいのです。

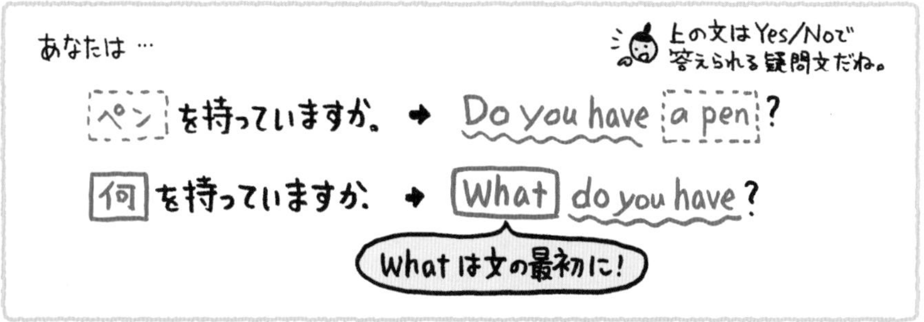

このように質問されたら，I have ～. の形で答えれば OK です。

ではもうひとつ，**「あなたは何のスポーツが好きですか。」**という like の文で確認です。

まずは What で文を始めます。「何のスポーツ」なので, What sports とします。そのあとに,「あなたは好きですか」という一般動詞の疑問文の形（do you like?）を続ければ完成です。

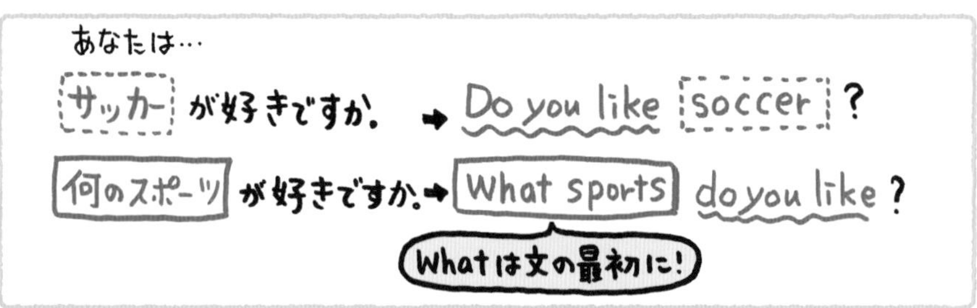

主語が３人称単数のときには，do ではなく does を使うことにも注意しましょう。

くわしく 「どんな種類の～」は What kind of ～? でたずねます。What kind of music do you like?（あなたはどんな種類の音楽が好きですか。）/ What kind of work does he do?（彼はどんな仕事をしていますか。）

EXERCISE

答えは別冊5ページ
答え合わせが終わったら，音声に合わせて英文を音読しましょう。

英語にしましょう。

1　あなたは朝食に何を食べますか。

______ for breakfast?

食べる：have

2　あなたはひまなときは何をしますか。

______ in your free time?

する：do　ひまな：free

3　あなたのお父さんはひまなときは何をしますか。

______ in his free time?

4　彼女は何のスポーツが好きですか。

______

スポーツ：sport（ここでは複数形にする）

5　あなたは朝，何時に起きますか。

______ in the morning?

起きる：get up

6　あなたはたいてい何時に寝ますか。

______

たいてい：usually　寝る：go to bed

7　あなたはどんな映画が好きですか。

______

どんな(種類の)～：What kind of ～　映画：movie（ここでは複数形にする）

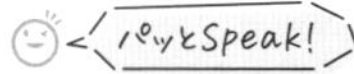

ふきだしの内容を英語で表しましょう。

友達の荷物が気になるので聞いてみましょう。

バッグの中に何を持ってるの？

______

（あなたの）バッグ：your bag

いろいろな疑問詞

Who, Whereなどの疑問文／*Other Wh- Questions*

「何？」とたずねるときはWhatで文を始めるのでしたね。

このWhatを「疑問詞」といいますが，疑問詞はWhat以外にもいくつかあります。

覚えれば，英語でいろいろなことを質問できるようになりますよ。

疑問詞は，いつも文の最初におくのがルールです。覚えておいてください。

isを使わずに，一般動詞を使って質問することもできます。（前回学習したWhatと同じです。）

たとえば一般動詞liveを使って「あなたはどこに住んでいますか。」と質問したい場合には，疑問詞Where（どこ）で文を始めます。そのあとに「あなたは住んでいますか」という一般動詞の疑問文の形（do you live?）を続ければOKです。

文法用語 厳密には「疑問詞」は３つの品詞に分かれます。「何」の意味のwhat・「どれ」の意味のwhichと，whoは代名詞。「何の～」の意味のwhat・「どちらの～」の意味のwhichは形容詞。when・where・why・howは基本的に副詞です。

EXERCISE

答えは別冊5ページ
答え合わせが終わったら，音声に合わせて英文を音読しましょう。

適する疑問詞を（　　）に書きましょう。

1 どちらがあなたのラケットですか。
(　　　　　) is your racket?
ラケット

2 あなたはどこの出身ですか。
(　　　　　) are you from?

3 あなたのいちばん好きな歌手はだれですか。
(　　　　　) is your favorite singer?
いちばん好きな

4 コンサートはいつですか。
(　　　　　) is the concert?

英語にしましょう。

5 ヘレン（Helen）とはだれですか。

6 あなたはどこに住んでいますか。

住んでいる：live

7 あなたの誕生日はいつですか。

誕生日：birthday

8 エイミー（Amy）はどこにいますか。

9 次の会議はいつですか。

次の：the next　会議：meeting

10 あなたはどちらのフレーバーがほしいですか。

フレーバー，味：flavor　ほしい：want

LESSON 31 How の疑問文

Howの疑問文／"How is/do～?" Questions

What, Who, Where, When, Which という疑問詞を学習しましたが，このほかにも How という大切な疑問詞があります。

How は，「どう？」とようすや感想をたずねるときに使います。
「～はどうですか。」は How is ～？ でたずねます。（短縮形は How's ～？）

How are you?（お元気ですか。）という日常のあいさつがありますね。これは，文字通りには「あなた（の状態・調子）はどうですか。」という意味の疑問文です。

「天気はどうですか。」とたずねるときにも How is ～？が使えます。

「どうやって？」「どのように？」 とたずねるときにも How を使います。

学び直し be 動詞の過去形を使って How was ～? とすると，How was the movie?（映画はどうだった？），How was the test?（テストはどうだった？）のように感想をたずねることができます。〈→ p.126〉

EXERCISE

答えは別冊5ページ
答え合わせが終わったら，音声に合わせて英文を音読しましょう。

英語にしましょう。

1 あなたのお母さんはどうですか（お元気ですか）。

2 ニューヨークの天気はどうですか。

in New York?

天気：the weather

3 あなたはどうやって仕事に行きますか。

to work?

4 あなたの新しいお仕事はどうですか。

仕事：job

次の質問に 5 ～ 7 のそれぞれの場合の答えを書いてみましょう。

How's the weather in Tokyo?

5 日がさしている

6 雨

7 くもり

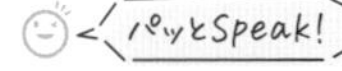

ふきだしの内容を英語で表しましょう。

新商品を食べている友達に感想を聞いてみましょう。

それ，どう？

itを使いましょう。

復習タイム

CHAPTER 06　**疑問詞**

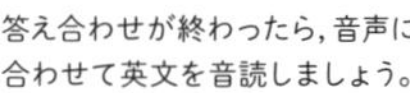
答えは別冊6ページ

答え合わせが終わったら，音声に合わせて英文を音読しましょう。

1 次の質問の答えとして適するものを右から選び，（　　）に記号を書きましょう。

1）What do you usually do on Sundays?（　　）

2）Where's my dictionary?（　　）
辞書

3）Who is Mr. Williams?（　　）

4）What's that building?（　　）
建物

5）What do you have in your hand?（　　）
手

6）How's your father?（　　）

ア　It's on the desk.
イ　I play baseball.
ウ　He's our teacher.
エ　He's fine.
オ　I have a book.
カ　It's a school.

2 次の（　　）内の語句を並べかえて，正しい英文にしましょう。

1）(your / is / name / what / brother's)?

2）(you / sports / what / like / do)?

3）(weather / is / how / the / in / Sydney)?

Sydney：シドニー

4）(do / for breakfast / what / have / you)?

----

for breakfast：朝食に

3 次の日本文を英語にしましょう。

1）あなたの誕生日はいつですか。

誕生日：birthday

2）あなたはどこに住んでいますか。

住んでいる：live

3）あなたは何の教科が好きですか。

教科：subject

4）何時ですか。

5）今日は何曜日ですか。

今日は：today

Coffee Break

「だれのですか」とたずねる疑問文

「これはだれの～ですか」とたずねるときには，Whose（だれの）という疑問詞を使います。

・Whose notebook is this?（これはだれのノートですか。）
— It's mine.（私のです。）

答えの文のmineは，１語で「私のもの」という意味を表す代名詞です。上の文ではmy notebookのかわりをしています。

〈１語で「～のもの」という意味を表す代名詞〉

□ mine 私のもの	□ ours 私たちのもの	□ yours あなたのもの，あなたたちのもの
□ his 彼のもの	□ hers 彼女のもの	□ theirs 彼ら[彼女ら，それら]のもの

「健太のです」のように人名で答えるときは，It's Kenta's.のように「's」をつけた形にします。

LESSON 32

「複数形」とは？

名詞の複数形／*Singular & Plural Nouns*

「本」「犬」「兄」「りんご」……のように，物や人の名前を表す語を「名詞」といいます。

日本語では，「１冊の本」でも「２冊の本」でも，「本」という名詞の形は同じです。ところが英語では，a book → two books のように，１つ（単数）のときと２つ以上（複数）のときとで名詞の形が変わります。

数が１つ（単数）のときには，ふつう，「１つの」という意味の **a** をつけます。母音（アイウエオに近い音）で始まる語の前では a のかわりに **an** をつけます。

ただし，my（私の）/ your（あなたの）/ Kenta's（健太の）などの「だれだれの」を表す語や the をつける場合には，a / an をつけません。× my a cat，× a my cat などとは言いません。

数が２つ以上（複数）のときは，名詞に s をつけます。この形を「複数形」といいます。

two（２つの），three（３つの）や，some（いくつかの），a lot of（たくさんの），many（たくさんの）のあとの名詞は複数形にします。

くわしく　複数形の s は基本的に［z ズ］と発音しますが，直前（単数形の語尾）の発音が［p プ］［k ク］［f フ］のときは［s ス］と発音し，-ts は［ツ］のように発音します。es をつける語 〈→ p.92〉 の es はふつう［iz イズ］と発音します。

EXERCISE

答えは別冊6ページ
答え合わせが終わったら，音声に合わせて英文を音読しましょう。

[　　] 内の語を，必要があれば形を変えて（　　）に書きましょう。

1 私は犬を２ひき飼っています。
I have two (　　　　). [dog]

2 ジョーンズさんは数学の先生です。
Mr. Jones is a math (　　　　). [teacher]

3 ハンバーガーを３つください。
Three (　　　　), please. [hamburger]

4 彼女はたくさんの本を持っています。
She has a lot of (　　　　). [book]

5 私はいくつか質問があります。
I have some (　　　　). [question]

6 彼は日本に友達がたくさんいますか。
Does he have a lot of (　　　　) in Japan? [friend]

7 ジョンソンさんは車を３台持っています。
Mr. Johnson has three (　　　　). [car]

8 私には姉妹は１人もいません。
I don't have any (　　　　). [sister]

9 私はねこが好きです。
I like (　　　　). [cat]

LESSON 33

まちがえやすい複数形

複数形の変化に注意する名詞／*Spellings of Plural Forms*

数が２つ以上（複数）のときには，名詞に s をつけて「複数形」にするのでしたね。

大部分の名詞は，book → books，dog → dogs のようにそのまま s をつけるのですが，そうではない名詞が少しだけあります。

class（授業・クラス）は，s ではなく **es** をつけます。

box（箱）も，s ではなく es をつけます。

①esをつける名詞

class（授業・クラス）⇨ classes
box（箱）⇨ boxes

country（国）は，最後の **y を i に変えて es** をつけます。

city（都市）と family（家族）も同じです。

②y→iesにする名詞

country（国）⇨ countries
city（都市）⇨ cities
family（家族）⇨ families

man（男性），woman（女性），child（子ども）は**不規則に変化**します。

③不規則に変化する名詞

man（男性）⇨ men
woman（女性）⇨ women
child（子ども）⇨ children

また，そもそも形が変わらない名詞というのもあります。

たとえば water（水）のように，「どこからどこまでが１つ」という区切りがない液体などは，「１つ，２つ…」と数えることができません。このような**「数えられない名詞」は複数形にしません。**（「１つの」を表す a や an もつけません。）〈→ p.104〉

● くわしく　厳密に言えば，名詞の語尾が「s, x, ch, sh」なら es をつけ，「a, i, u, e, o 以外の文字＋y」なら y → ies にします（bus → buses，dish → dishes，story → stories）。leaf（葉）→ leaves，life（生命）→ lives のような変化もあります。

EXERCISE

答えは別冊6ページ
答え合わせが終わったら，音声に合わせて英文を音読しましょう。

次の名詞の複数形を書きましょう。

1 city （都市） （　　　　　）

2 box （箱） （　　　　　）

3 man （男性） （　　　　　）

4 woman （女性） （　　　　　）

5 child （子ども） （　　　　　）

6 family （家族） （　　　　　）

（　）内の語を，必要があれば形を変えて（　）に書きましょう。

7 火曜日には授業が5時間あります。
We have five （　　　　　） on Tuesdays. （class）

8 ジョーンズさんは毎年たくさんの国を訪れます。
Mr. Jones visits many （　　　　　） every year.
訪れる
（country）

9 象はたくさんの水を飲みます。
Elephants drink a lot of （　　　　　）. （water）
象　飲む

10 このウェブサイトにはたくさんの役に立つ情報がのっています。
This website has a lot of useful （　　　　　）.
ウェブサイト　役に立つ
（information）
情報

LESSON 34

数のたずね方

How many ～? / How old ～?など／ *Questions about Numbers*

「どう？」「どうやって？」などとたずねるときには How を使うのでしたね。How にはこのほかに，**「どのくらい～？」**という意味もあります。

たとえば，「たくさんの，多数の」という意味の many を使って **How many ～？**とすると，「どのくらいたくさんの～」つまり **「いくつの～」**という意味になり，数をたずねることができます。

How many のほかにも，How（どのくらい～）と別の語とを組み合わせた疑問文がいくつかあります。

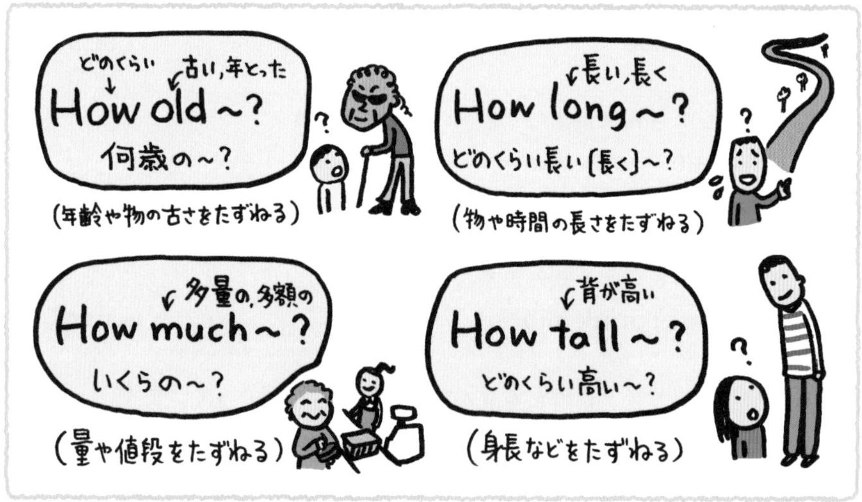

くわしく How を使った次のような疑問文もあります。How far ～?（どのくらい離れた～？〈距離〉） How often ～?（どのくらい頻繁に～？〈頻度〉） How high ～?（どのくらい高い～？〈高さ〉）

EXERCISE

答えは別冊6ページ
答え合わせが終わったら，音声に合わせて英文を音読しましょう。

英文を完成しましょう。

1 あなたは何びきの犬を飼っていますか。

______ do you have?

2 この橋はどのくらいの長さですか。

______ is this bridge?

橋

3 あなたは何歳ですか，ベン。

______ are you, Ben?

4 彼の身長はどのくらいですか。

______ is he?

5 これはいくら（どのくらいの値段）ですか。

______ is this?

（　）内の語を並べかえて，英文を完成しましょう。

6 この映画はどのくらいの長さですか。
(how / movie / this / long / is)?

______

映画：movie

7 この建物は建てられてどのくらいたちますか。
(building / old / is / this / how)?

______

建物：building

8 あなたは本を何冊持っていますか。
(many / you / books / how / do / have)?

______

9 あなたはどのくらい時間がありますか。
(much / how / have / you / time / do)?

______

LESSON 35 「命令文」とは？

命令文／*Imperative "Do ～."*

英語の授業で先生が，Stand up.（立ちなさい。）とか，Sit down.（すわりなさい。）などと指示することがありますよね。このような文を「命令文」といいます。

命令文のつくり方は簡単です。主語を使わずに，いきなり**動詞で文を始めれば命令文**になります。（英語の文には「主語」と「動詞」があるのが大原則ですが，命令文は主語がない特別な文なのです。）

命令文が使われるのは，「命令」するときだけとは限りません。使われる場面や口調によって，感じは大きく変わります。

please を使うと，命令の調子をやわらげることができます。please は「どうぞ（～してください）」という意味です。

・英会話　命令文は，Have some tea.（お茶をどうぞ。）のように何かをすすめたり，申し出たりするときにも使われます。また，Go straight.（まっすぐ行ってください。）のように道案内でも使います。道案内では please はつけません。

EXERCISE

答えは別冊6ページ
答え合わせが終わったら，音声に合わせて英文を音読しましょう。

適する語を選び，（　　）に書きましょう。

wash　use　open　wait　take　stand　write

1 立ちなさい，ジョー。
(　　　　) up, Joe.

2 ドアを開けてください。
Please (　　　　) the door.
ドア

3 手を洗いなさい，メアリー。
(　　　　) your hands, Mary.
手

4 ここで待っていてください。
Please (　　　　) here.

5 私のえんぴつを使って。
(　　　　) my pencil.
えんぴつ

6 あなたの名前をここに書いてください。
Please (　　　　) your name here.

7 ごゆっくり。
(　　　　) your time.

パッとSpeak! **ふきだしの内容を英語で表しましょう。**

目の前に立っているお年寄りに席をゆずりましょう。

どうぞここにすわってください。

ここに：here

LESSON 36 # 「～しないで」「～しましょう」

"Don't ～.", "Let's ～."

「～しなさい」「～してください」という命令文は，動詞で文を始めればいいのでしたね。

それとは反対に，**「～してはいけません」「～しないでください」**と言うときには，命令文の前に**Don't**をおけば OK です。

ふつうの命令文と同じように，please をつけて Please don't open the door. と言うこともできます。

「～しましょう」と誘ったり，提案したりするときには**Let's**を使います。Let's のあとには動詞を続けます。

Don't ～. と Let's ～. に共通する注意点が１つだけあります。それは，Don't ～. と Let's ～. の**あとには必ず動詞**がくる，ということです。動詞はいつも，s のつかない「そのままの形」（原形）を使うことも覚えておいてください。

・学び直し let's は let us の短縮形です。let は「…に～させる」という意味〈→ p.260〉で，Let us ～. は，本来は「私たちに～させてください」という意味を表します。（「～しましょう」の意味ではいつも短縮形の Let's ～. を使います。）

EXERCISE

答えは別冊6ページ
答え合わせが終わったら，音声に合わせて英文を音読しましょう。

英語にしましょう。

1 いっしょに歌いましょう。

歌う：sing　いっしょに：together

2 あきらめないで。

あきらめる：give up

3 どうか行かないでください。

4 家に帰りましょう。

家に帰る：go home

5 この箱を開けてはいけません。

開ける：open　この箱：this box

6 夕食にピザを食べましょう。

ピザ：pizza　夕食に：for dinner

7 ここで写真を撮ってはいけません。

写真を撮る：take pictures

パッとSpeak! ふきだしの内容を英語で表しましょう。

不安になっている友達を元気づけましょう。

心配しないで。

心配する：worry

LESSON 37 「私を」「彼を」など

代名詞（目的格）／ *Object Pronouns*

人を表す代名詞には，次の２つの形があることを以前に学習しましたね。

①Ｉや he，she のように，文の主語として使われる形 〈→ p.42〉

② my や his，her のように，「だれだれの〜」の意味で使われる形 〈→ p.44〉

今回は，もう１つの変化形を学習します。

代名詞は，**「だれだれを」「だれだれに」**の意味になるときは，次の形に変化します。

前置詞のあとにくるときも，この形を使います。

人を表す代名詞の変化をまとめると，次のようになります。

〈単数〉

	〜は	〜の	〜を，〜に
私	I	my	me
あなた	you	your	you
彼	he	his	him
彼女	she	her	her
それ	it	its	it

〈複数〉

	〜は	〜の	〜を，〜に
私たち	we	our	us
あなたたち	you	your	you
彼ら	they	their	them
彼女ら	they	their	them
それら	they	their	them

文法用語 人称代名詞（I，you，he，she，it，we，they）は３つの形（主格，所有格，目的格）に変化（格変化）します。このページで学習した「〜を」「〜に」の形は，動詞・前置詞の目的語になるときの形で，「目的格」といいます。

EXERCISE

答えは別冊6ページ
答え合わせが終わったら，音声に合わせて英文を音読しましょう。

適する代名詞を（　　）に書きましょう。

1 あなたは彼を知っていますか。
Do you know (　　　　　)?

2 私はあなたを愛しています。
I love (　　　　　).
愛する

3 私を見てください。
Please look at (　　　　　).
見る

4 彼らを手伝おう。
Let's help (　　　　　).
手伝う

5 彼女（の言うこと）をよく聞いて。
Listen to (　　　　　) carefully.
聞く　注意深く

6 どうか私に話しかけないで。
Please don't talk to (　　　　　).
話す

7 彼の写真は美しい。私はそれらをとても気に入っています。
His pictures are beautiful. I like (　　　　　) a lot.
写真　大いに

8 私といっしょに来てください。
Please come with (　　　　　).

9 ブラウン先生はたいてい私たちといっしょにお昼を食べます。
Mr. Brown usually has lunch with (　　　　　).
昼食

復習タイム

→答えは別冊6ページ

答え合わせが終わったら，音声に合わせて英文を音読しましょう。

CHAPTER 07　複数形・命令文・代名詞

1 次の［　］内の語を，適する形に変えて（　）に書きましょう。

1）Please help (　　　). ［we］

2）That tall girl is Meg.　Do you know (　　　)? ［she］

3）I have a dog and two (　　　). ［cat］

4）I see some (　　　) over there. ［child］
見える　あそこに

5）I don't have any (　　　). ［brother］

6）This song is popular in many (　　　). ［country］
歌　人気がある

2 次の質問の答えとして適するものを下から選び，（　）に記号を書きましょう。

1）How old is your brother? (　　)

2）How much is this? (　　)

3）How long is English class? (　　)

4）How many computers does Mr. Davis have? (　　)

ア　It's 500 yen.　　イ　It's fifty minutes.
ウ　He has two.　　エ　He's eighteen years old.

3 次の日本文を英語にしましょう。

1）あなたはまんがを何冊持っていますか。

まんが：comic book

2）私は彼らをよく知っています。

よく：well

3）窓を開けないでください。

開ける：open　窓：the window

4）会議を始めましょう。

始める：start　会議：the meeting

5）彼女には子どもが何人いますか。

子ども：children（child の複数形）

6）このお寺はどのくらい古いのですか。

お寺：temple

Coffee Break

be動詞の命令文

一般動詞の命令文は，Wash your hands.（手を洗いなさい。）のように動詞の原形で文を始めるのでしたね。

be動詞の場合も同じく，動詞の原形で文を始めると命令文になります。be動詞（am, are, is）の原形は be です。

・Be quiet.（静かにしなさい。）　quiet：静かな（形容詞）
・Be careful.（気をつけて。）　careful：注意深い（形容詞）

be動詞の命令文の否定形は，Don't be ～.の形になります。

・Don't be late.（遅れてはいけません。）　late：遅れた，遅い（形容詞）
・Don't be shy.（はずかしがらないで。）　shy：はずかしがりの（形容詞）

基礎ができたら，もっとくわしく。

「数えられない名詞」とは？

What is "Countable" and "Uncountable"?

book（本），apple（りんご）のように「1つ，2つ…」と数えることができる名詞を可算名詞といいます。これに対してwater（水）やrain（雨）のように「1つ，2つ…」と数えられない名詞を不可算名詞といいます。

不可算名詞にはaとanはつけません。また，複数形にもしません。

「たくさんのお金」と言うつもりで×a lot of moneysなどとしないように注意してください（正しくはa lot of money）。

▼不可算名詞の例

固有名詞 （地名・人名など）	Japan（日本） Mt. Fuji（富士山）	Emma（エマ〈人名〉） Ueno Station（上野駅）
言語名，教科名，スポーツ名など	Japanese（日本語） science（理科） music（音楽）	English（英語） math（数学） tennis（テニス）
液体や，素材・材料などを表しているとき（物質名詞）	water（水） tea（お茶） paper（紙）	milk（牛乳） coffee（コーヒー） rain（雨）
その他「1つ，2つ…」と数えず，全体としてとらえるもの	time（時間） homework（宿題）	money（お金） work（仕事）

▼「たくさんの～」などの言い方

	可算名詞…複数形にする	不可算名詞…複数形にしない
たくさんの	a lot of books（たくさんの本）	a lot of water（たくさんの水）
	many books（たくさんの本）	much water（たくさんの水）
いくらかの	some books（何冊かの本）	some water（いくらかの水）
少しの	a few books（少しの本）	a little water（少しの水）

manyとa fewは可算名詞に，muchとa littleは不可算名詞に使います。

a と the の使い分けを知ろう

Differences between "a" and "the"

book, apple などの可算名詞は，そのままの形では文の中で使えません。a［an］か the をつけるか，複数形にする必要があります。（ただし，「～の」を表す語（my / your など）や this / that をつける場合は，そのままの形でも使えます。）

どれなのかを特定せずに，「いくつかある中の（どれでも）１つ」と言うときには a（母音で始まる語の前では an）を使います。a は不定冠詞と呼ばれます。

・I want a new car.　（〈**あらゆる新しい車の中の，どれでも１台の**〉新しい車がほしい。）

・My mother is a teacher.　（私の母は〈**世界に何人もいる先生の中の，ある１人の**〉先生です。）

すでに一度話に出てきて，「どれのことを言っているのか１つに決まっている」ものには the を使います。the は「その」のような意味で，定冠詞と呼ばれます。

・I want the new car.　（〈**さっきの話に出てきた，ほかでもない例のその**〉新しい車がほしい。）

・My mother is the teacher.　（私の母が〈**さっきの話に出てきた，例のその**〉先生です。）

一度話に出てきたものだけでなく，状況から，お互いに「どれのことを言っているのか１つに決まっている」場合にも the を使います。

・Please open the door.　（〈**あなたの目の前の，その**〉ドアを開けてください。）

・My mother is in the kitchen.　（私の母は〈**自分の家の**〉台所にいます。）

１つしかないものにも the を使います。

・the sun（太陽）　・the first train（最初の電車）　・the largest country（最大の国）

「～というもの」の意味で，種類全体をまとめてさすときは複数形を使います。

・I like cats.　（私はねこ〈**というもの全般**〉が好きです。）

・Elephants drink a lot of water.　（象〈**というもの全般**〉はたくさんの水を飲みます。）

a も the もつけない形で使われる決まった言い方もあります。

・go to school　（〈**勉強をしに**〉学校に行く）　・at home　（〈**自分の**〉家に，家で）

・by bus/train　（〈**交通手段**〉バス / 電車で）　・watch TV　（テレビ〈**の番組**〉を見る）

・have breakfast / lunch / dinner　（朝食 / 昼食 / 夕食を食べる）

LESSON 38 「現在進行形」とは？

現在進行形の意味と形／ *What is the Present Progressive?*

「現在進行形」を学習する前に，これまでに学習した一般動詞の「現在形」の意味について確認しましょう。

現在形の I study English.（私は英語を勉強します。）という文は，厳密には「私にはふだん，英語を勉強する習慣がある」ということを表す文です。「ちょうど今，勉強している最中です」という意味ではないことに注意してください。

上の現在形の文はどちらも，**「ふだん，くり返ししていること」**を表しています。

それに対して「(今) ～しているところです」のように，**「ちょうど今，している最中」**であることを表すのが現在進行形です。

現在進行形の文では **be 動詞**（am, are, is）を使い，そのあとに動詞の **ing 形**（動詞の原形に ing をつけた形）を続けます。

学び直し 現在進行形の文は，現在の状態を表す文である「be 動詞の文」の一種だと理解してもいいでしょう。動詞の ing 形は「現在分詞」と呼ばれ，状態を表す形容詞のような働きをしています。

EXERCISE 答えは別冊7ページ
答え合わせが終わったら，音声に合わせて英文を音読しましょう。

英語にしましょう。

1 レイ（Ray）がピアノを弾いています。

ピアノ：the piano

2 私は図書館で勉強中です。

勉強する：study　図書館で：in the library

3 彼らは居間でテレビを見ています。

見る：watch　居間で：in the living room

4 私たちはバスを待っています。

～を待つ：wait for ～　バス：the bus

5 リサ（Lisa）とナオミ（Naomi）はおしゃべりしています。

おしゃべりする，話す：talk

6 雨が降っています。

天気を表す it を主語にします。　雨が降る：rain

7 （あなたの）電話が鳴っていますよ。

（あなたの）電話：your phone　鳴る：ring

パッとSpeak! **ふきだしの内容を英語で表しましょう。**

友達から電話。食事中だと伝えましょう。

今，晩ご飯を食べてるんだ。

食べる：have　今：right now

LESSON 39

まちがえやすい ing 形

ing形の変化に注意すべき動詞／*Spellings of "-ing" Forms*

現在進行形の文は，be 動詞のあとに動詞の ing 形をおくのでしたね。

大部分の動詞の ing 形は，play → playing，study → studying のようにそのまま ing をつければよいのですが，そうではない動詞が少しだけあります。

write（書く）のように e で終わる動詞は，最後の **e をとって ing** をつけます。

①最後のeをとってing

write（書く）⇒ writing
make（作る）⇒ making
use（使う）⇒ using
have（食べる）⇒ having

run（走る）は，**最後の 1 文字を重ねて** running とします。

sit（すわる）と swim（泳ぐ）も，最後の 1 文字を重ねます。

②最後の1文字を重ねてing

run（走る）⇒ running
sit（すわる）⇒ sitting
swim（泳ぐ）⇒ swimming

また，そもそも**進行形にしない動詞**というのもあります。

like（好きである）や have（持っている），know（知っている），want（ほしがっている）は，「動き」ではなく **「状態」を表す動詞**なので，進行形にしません。

進行形にしない！

私は彼を知っています。
× I am knowing him.
○ I know him.

私はねこを飼っています。
× I am having a cat.
○ I have a cat.

ただし have にはいろいろな意味があり，I'm having lunch.（私は昼食を食べているところです。）のように「食べる」という動作を表すときには進行形にできます。

くわしく running のように最後の 1 文字を重ねるのは，原形が〈短母音＋子音字〉で終わる動詞です。run，sit，swim のほかに，get → getting，begin → beginning，put → putting，cut → cutting，stop → stopping などがあります。

EXERCISE

答えは別冊7ページ
答え合わせが終わったら，音声に合わせて英文を音読しましょう。

次の動詞のing形を書きましょう。

1 run （走る） （　　　　　）

2 write （書く） （　　　　　）

3 make （作る） （　　　　　）

4 sit （すわる） （　　　　　）

5 swim （泳ぐ） （　　　　　）

6 use （使う） （　　　　　）

英語にしましょう。

7 私は彼を知っています。

知っている：know

8 私はねこを飼っています。

ねこ：a cat

9 彼は朝食を食べているところです。

食べる：have　朝食：breakfast

10 彼女は新しいスマホをほしがっています。

新しいスマホ：a new smartphone

LESSON 40

進行形の否定文・疑問文

現在進行形（否定文・疑問文）／ *Present Progressive Questions*

現在進行形は be 動詞を使う文なので，否定文・疑問文のつくり方は，以前に学習した be 動詞の否定文〈→ p.56〉・疑問文〈→ p.66〉とまったく同じです。

否定文は，be 動詞（am，are，is）のあとに not を入れれば OK です。**「(今)〜していません」**という意味になります。

be 動詞で文を始めれば，**「(今)〜していますか」**という疑問文になります。be 動詞の疑問文への答え方〈→ p.68〉と同じで，be 動詞を使って答えます。

以前に学習した，be 動詞の否定文・疑問文をマスターしていれば簡単ですね。

現在進行形は **be 動詞を使う文なので，do や does は使いません**。一般動詞の現在形の否定文・疑問文と混同しないように注意してください。

英会話　「私は東京に住んでいます。」はふつう I live in Tokyo. のように現在形で言います。I'm living in Tokyo. のように現在進行形で言うと，「私は（今は一時的に）東京に住んでいます。」という意味合いになります。

1-48

EXERCISE

答えは別冊7ページ
答え合わせが終わったら，音声に合わせて英文を音読しましょう。

英語にしましょう。

1 私はテレビを見ているのではありません。

2 彼らはおしゃべりしているのではありません。

おしゃべりする，話す：talk

3 ジョー（Joe）は勉強していません。

英語にしましょう。
そのあとで，その質問に ①はい と ②いいえ の両方で答えましょう。

（例） 彼女は眠っているのですか。

Is she sleeping?

→ ① Yes, she is. ② No, she isn't.

4 あなたはジョージ（George）を待っているのですか。

～を待つ：wait for ～

→ ① ②

5 雨は降っていますか。

雨が降る：rain

→ ① ②

6 ジム（Jim）とティナ（Tina）はいっしょに昼食を食べているのですか。

昼食：lunch　いっしょに：together

→ ① ②

7 あなたは私の話を聞いていますか。

私の話を聞く：listen to me

→ ① ②

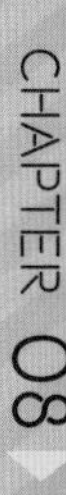

LESSON  41 「何をしているのですか」

現在進行形（疑問詞で始まる疑問文）／*Present Progressive Wh- Questions*

前回は，「Yes か No か」をたずねる現在進行形の疑問文を学習しました。今回は，「(今) 何をしているのですか」とたずねる疑問文を学習します。

「あなたは何をしているのですか。」 は，**What are you doing?** とたずねます。（この doing は，「する」という意味の動詞 do の ing 形です。）

この質問には，今していることを現在進行形の文で具体的に答えます。

What are you doing? の doing のかわりにほかの動詞を使うこともできます。

また，Who is ～ing? の形で，「だれが～していますか。」とたずねることができます。これには Kenta is.（健太です。）のように答えることができます。

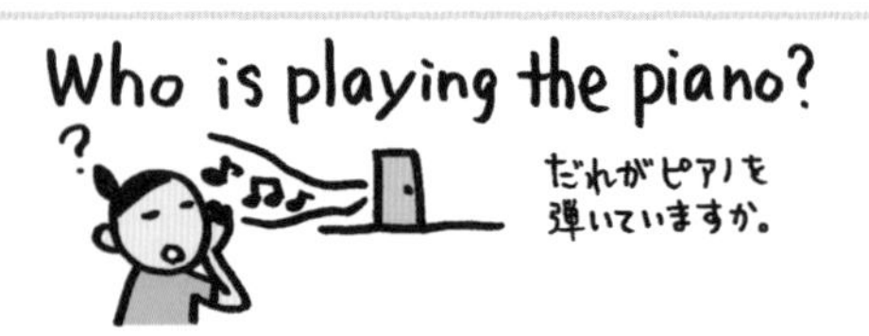

● くわしく What are you doing? の主語は you で，what は目的語です。一方で Who is playing the piano? の主語は疑問詞の who です。She is playing the piano. の She を Who に変えただけ，と考えましょう。

EXERCISE

答えは別冊7ページ
答え合わせが終わったら，音声に合わせて英文を音読しましょう。

英語にしましょう。

1 あなたは何をしているのですか。

2 ジョシュ（Josh）は何をしているのですか。

3 彼らは教室で何をしているのですか。

教室で：in the classroom

4 彼らは何を作っているのですか。

作る：make

5 だれがギターを弾いているのですか。

ギターを弾く：play the guitar

次の質問に英語で答えましょう。（　　）内の内容を答えてください。

6 What are you doing?（→ボブ（Bob）を待っています。）

～を待つ：wait for ～

7 What is Ms. Miller doing?（→メールを書いています。）

書く：write　メール：an e-mail

8 What is he making?（→サンドイッチを作っています。）

サンドイッチ：sandwiches

復習タイム

➔答えは別冊7ページ

答え合わせが終わったら，音声に合わせて英文を音読しましょう。

CHAPTER 08　現在進行形

1 次の（　　）内から適するものを選び，○で囲みましょう。

1）(Do / Are / Is) you studying, Joe?

2）(I know / I'm knowing) Mr. Williams very well.（very：とても　well：よく）

3）He (not / doesn't / isn't) reading a book.

4）Where's Alice? ― She (watches / is watching) TV in her room.

5）(Do you have / Are you having) a pen? ― Yes. Here you are.（Here you are.：はい，どうぞ。）

2 次の質問に，（　　）内の内容で答える英文を書きましょう。

1）Is your brother studying in the library?（→はい。）

----

library：図書館

2）What is your sister doing?（→メグ(Meg)と昼食を食べています。）

食べる：have　昼食：lunch

3）What are they doing?（→泳いでいます。）

泳ぐ：swim

4）What's Mr. Brown doing?（→音楽を聞いています。）

～を聞く：listen to ～　音楽：music

5）Who's playing the piano?（→私の母です。）

----

3 次の日本文を英語にしましょう。

1）私の父は台所で料理をしているところです。

料理する：cook　台所で：in the kitchen

2）あなたは手紙を書いているのですか。

書く：write　手紙：a letter

3）彼は公園で走っています。

走る：run　公園で：in the park

4）あなたは何をしているのですか。

5）東京では雨が降っていますか。

雨が降る：rain（動詞）

6）私は眠っているのではありません。

眠る：sleep

Coffee Break

基本の熟語

これまでにもいくつか出てきていますが，決まった形で使われる動詞の熟語がたくさんあります。少しずつ覚えていきましょう。

□ get up	起きる，起床する	□ go to bed	寝る，床につく
□ look at ～	～を見る，目を向ける	□ look for ～	～をさがす
□ get to ～	～に着く，達する	□ arrive at[in] ～	～に到着する
□ listen to ～	～を聞く，耳をかたむける	□ take care of ～	～の世話をする
□ wait for ～	～を待つ	□ look forward to ～	～を楽しみに待つ
□ turn on ～	～のスイッチを入れる	□ turn off ～	～のスイッチを切る

LESSON 42

「過去形」とは？

一般動詞の過去の文／*Past Tense (General Verbs)*

英語では，「きのう～しました」のように過去のことを言うときには，動詞の形を過去形にします。

多くの動詞は，原形に **edをつけると過去形**になります。

過去の「いつのことなのか」を表すには，次の語句がよく使われます。

- きのう ⇒ yesterday
- この前の～，昨～ ⇒ last～
  - 昨夜 ⇒ last night
  - 先週 ⇒ last week
  - この前の日曜日 ⇒ last Sunday
- （今から）～前に ⇒ ～ago
  - 1時間前に ⇒ an hour ago
  - 5日前に ⇒ five days ago
  - 2年前に ⇒ two years ago

一般動詞の過去形は，現在形とちがって，主語が何であっても形は変化しません。

くわしく　edは基本的に［d ド］と発音しますが，直前（原形の語尾）の発音が［p プ］［k ク］［f フ］［s ス］［ʃ シ］［tʃ チ］のときは［t ト］と発音します。また，語尾が［t ト］［d ド］のときは［id イド］と発音します。

EXERCISE　答えは別冊7ページ
答え合わせが終わったら，音声に合わせて英文を音読しましょう。

英語にしましょう。

1　私は昨夜，テレビを見ました。

2　私たちはきのう野球をしました。

野球：baseball

3　彼は10年前に私たちを助けてくれました。

助ける：help

4　エマ（Emma）は先週，彼女のおじさんを訪ねました。

訪ねる：visit　おじ：uncle

5　私はこの前の日曜日にボブ（Bob）と話をしました。

～と話をする：talk with ～

6　彼は突然私を見ました。

突然：suddenly　～を見る：look at ～

7　私は去年，インドに旅行しました。

～に旅行する：travel to ～　インド：India

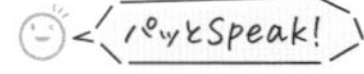

ふきだしの内容を英語で表しましょう。

休んでいる友達をみんな心配しています。

きのうの夜，彼に電話したんだ。

電話する：call

LESSON 43 まちがえやすい過去形

過去形の変化に注意する動詞・不規則動詞／*Spellings of Past Tense & Irregular Verbs*

過去のことを言うときには，動詞を過去形にするのでしたね。

動詞の過去形は，基本的には play → played，watch → watched のように ed をつければよいのですが，そうではない動詞もあります。

live（住んでいる）のように e で終わる動詞には，**d だけ**をつけます。

live（住んでいる）⇨ lived
like（好きである）⇨ liked
use（使う）⇨ used

study（勉強する）は，最後の **y を i に変えて ed** をつけ，studied となります。

stop（止まる）は，最後の **1 文字を重ねて** stopped とします。

また，過去形が ～ed ではない形に変化する動詞もあります。これを**不規則動詞**といいます。

おもな不規則動詞

go（行く）⇨ went	see（見える）⇨ saw
come（来る）⇨ came	make（作る）⇨ made
have（持っている）⇨ had	read（リード）（読む）⇨ read（レッド） ← 発音だけが変わる
get（手に入れる）⇨ got	write（書く）⇨ wrote

不規則動詞は，このほかにもたくさんあります。出てくるたびに，ひとつひとつ覚えるようにしましょう。

・くわしく　厳密に言えば，「a, i, u, e, o 以外の文字＋ y」で終わる動詞は y → ied にするという法則があり，study のほかに carry（運ぶ）→ carried，cry（泣く）→ cried，try（試してみる）→ tried などがあります。

1-52

EXERCISE

答えは別冊8ページ
答え合わせが終わったら，音声に合わせて英文を音読しましょう。

次の動詞の過去形を書きましょう。

1 have (　　　　)　2 see (　　　　)

3 like (　　　　)　4 write (　　　　)

5 use (　　　　)　6 make (　　　　)

7 read (　　　　)　8 stop (　　　　)

英語にしましょう。

9 私は先週ハワイ（Hawaii）に行きました。

10 私は昨夜，英語を勉強しました。

11 ジム（Jim）は2週間前に日本に来ました。

12 ジョーンズさん（Mr. Jones）は3年前，東京に住んでいました。

13 彼女は今朝8時に起きました。

起きる：get up　今朝：this morning

LESSON 44

過去の否定文

一般動詞の過去の否定文／*Past Negative "didn't"*

過去の否定文は，**動詞の前に did not**（短縮形は **didn't**）を入れます。（did は，do や does の過去形です。）

did not の**あとの動詞は原形**（変化しないもとの形）を使います。

一般動詞の現在形の否定文は，do not（短縮形 don't）と does not（doesn't）を主語によって使い分けましたね〈→ p.58，60〉。しかし過去の否定文では，このような使い分けはありません。主語が何であっても，いつも did not（didn't）で OK です。

否定文で使う動詞は「原形」です。**動詞を過去形にしてしまうまちがいが多い**ので注意してください。

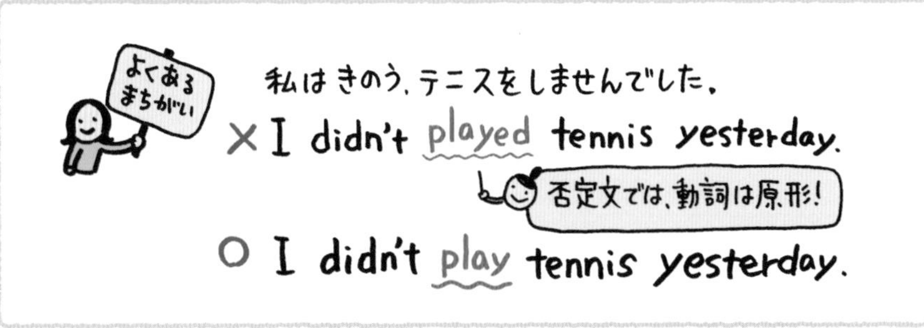

学び直し　did not（didn't）の did は，現在の否定文をつくる do not（don't）の do と同じで，助動詞です。そのため，あとにくる動詞は原形になります。

EXERCISE

答えは別冊8ページ
答え合わせが終わったら，音声に合わせて英文を音読しましょう。

否定文に書きかえましょう。

1 He had a phone. →彼は電話を持っていませんでした。

phone：電話

2 They used this room. →彼らはこの部屋を使いませんでした。

3 I saw her at the party.
→私はパーティーで彼女に会いませんでした。

saw：see（見える，見かける，会う）の過去形

英語にしましょう。

4 私はきのう仕事に行きませんでした。

仕事に行く：go to work

5 彼は昨夜，テレビを見ませんでした。

6 マリア（Maria）はこの前の日曜日，練習に来ませんでした。

練習：practice（名詞）

7 彼らは昨夜は眠りませんでした。

眠る：sleep

8 私は今朝，朝食を食べませんでした。

食べる：have

過去の疑問文

一般動詞の過去の疑問文／ *Past Questions "Did ～?"*

過去のことについて「～しましたか」とたずねる疑問文は，**Did** で文を始めます。

疑問文では，動詞は原形を使います。

Did ～？の疑問文には，ふつう Yes, ～ did. または No, ～ did not.（短縮形は didn't）で答えます。

現在の疑問文では，主語によって Do と Does を使い分けました。しかし過去の疑問文では，主語が何であっても Did で OK です。

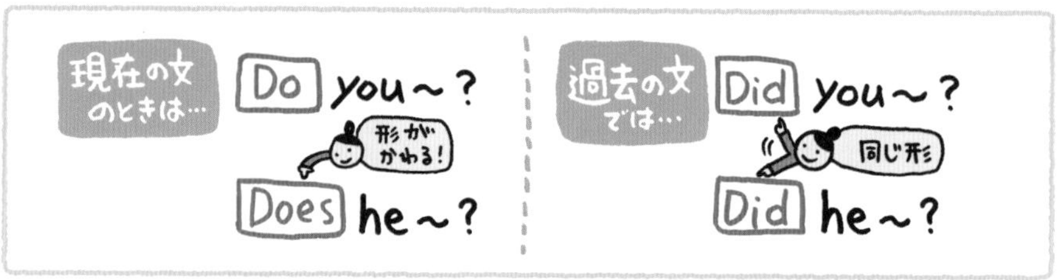

疑問文で使う動詞は「原形」です。**動詞を過去形にしてしまうまちがいが多い**ので注意してください。

・英会話　過去の文には yesterday などの「過去を表す語句」が必ず必要，ということはありません。Did you call?（電話くれた？），Did you see that?（あれ見た？）のように，過去を表す語句をつけないことは非常によくあります。

EXERCISE

答えは別冊８ページ
答え合わせが終わったら，音声に合わせて英文を音読しましょう。

疑問文に書きかえましょう。

1 She played tennis yesterday. →彼女はきのうテニスを<u>しましたか</u>。

2 You wrote this letter. →あなたがこの手紙を書き<u>ましたか</u>。

letter：手紙

3 They came to Japan last month. →彼らは先月，日本に来<u>ましたか</u>。

4 She made this cake. →彼女がこのケーキを作り<u>ましたか</u>。

英語にしましょう。
そのあとで，その質問に ①はい と ②いいえ で答えましょう。

（例） あなたは昨夜，テレビを見ましたか。
Did you watch TV last night?
→ ① Yes, I did. ② No, I didn't.

5 あなたのお母さんは今朝，朝食を食べましたか。

食べる：have　朝食：breakfast

→ ① ②

6 あなたはコンサートを楽しみましたか。

楽しむ：enjoy　コンサート：the concert

→ ① ②

7 あなたは髪を切りましたか。

髪を切る：get a haircut

→ ① ②

LESSON 46 「何をしましたか」

疑問詞で始まる過去の疑問文／*Past Questions "What did ～?"*

過去のことについて「何をしましたか」「何を食べましたか」のように具体的にたずねるときには，疑問詞 **What** で文を始め，did you ～? や did he ～? などを続けます。この質問には，過去形の文で具体的に答えます。

疑問詞は What 以外にもありましたね。

What のかわりに When（いつ），Where（どこで），What time（何時に），How（どのように）などの疑問詞を使うと，いろいろなことをたずねることができます。

くわしく What happened?（何が起きたのですか。），Who made this?（だれがこれを作ったのですか。）のように疑問詞が文の主語になるときは，did は使わずに〈疑問詞＋動詞の過去形～?〉の語順になります。

EXERCISE

答えは別冊8ページ
答え合わせが終わったら，音声に合わせて英文を音読しましょう。

英語にしましょう。

1 あなたはこの前の日曜日に何をしましたか。

2 あなたは今朝，何時に起きましたか。

起きる：get up

3 あなたはきのう，どこに行きましたか。

4 あなたはどうやってこの腕時計を手に入れたのですか。

手に入れる：get　腕時計：watch

5 あなたは朝食に何を食べましたか。

食べる：have　朝食に：for breakfast

6 あなたはどうやって日本語を覚えたのですか。

覚える：learn

7 あなたはいつ入社したのですか。

入社する：join the company

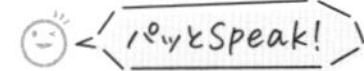

ふきだしの内容を英語で表しましょう。

外国から来た先生に聞いてみましょう。

日本に来たのはいつですか？

LESSON 47

was と were

be動詞の過去の文／"was/were"

過去のことを言うときには，動詞を過去形にするのでしたね。

このルールはbe動詞の場合も，もちろん同じです。過去のことについて**「～でした」「～にいました」**のように言うときは，**be動詞の過去形**を使います。

be動詞の過去形は2つです。amとisの過去形は**was**で，areの過去形は**were**です。

現在形

I	am	～.
He, She, It など3人称単数	is	
You	are	
We, They など複数		

過去形

I	was	～.
He, She, It など3人称単数		
You	were	
We, They など複数		

否定文と疑問文のつくり方は現在の文と同じです。be動詞を過去形にすればOKです。

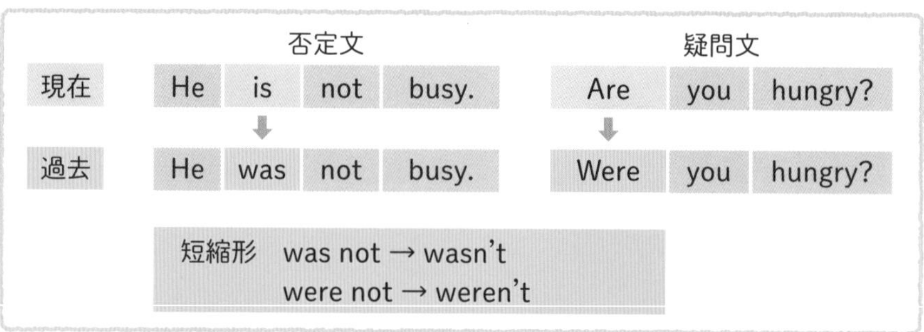

	否定文				疑問文		
現在	He	is	not	busy.	Are	you	hungry?
過去	He	was	not	busy.	Were	you	hungry?

短縮形　was not → wasn't
　　　　were not → weren't

くわしく　疑問詞の疑問文もwas，wereを使えば過去形になります。（例）What was the problem?（何が問題だったのですか。），Where were you?（あなたはどこにいたのですか。），How was the party?（パーティーはどうでしたか。）

1-56

EXERCISE

答えは別冊8ページ
答え合わせが終わったら，音声に合わせて英文を音読しましょう。

適する語を（　　）に書きましょう。

1　私はきのう忙しかった。
I (　　　　　) busy yesterday.

2　彼はそのとき台所にいました。
He (　　　　　) in the kitchen then.
then：そのとき

3　彼らはそのときとてもおなかがすいていました。
They (　　　　　) very hungry then.

4　私はそのとき家にいませんでした。
I (　　　　　) at home then.

5　彼らは裕福ではありませんでした。
They (　　　　　) rich.
rich：裕福な，お金持ちの

英語にしましょう。
そのあとで，その質問に ①はい と ②いいえ で答えましょう。

（例）晴れていましたか。
Was it sunny?
→ ① Yes, it was.　　② No, it wasn't.

6　あなたは疲れていましたか。

疲れている：tired
→ ①　　　　　②

7　映画はおもしろかったですか。

映画：the movie　おもしろい：interesting
→ ①　　　　　②

8　彼らはそのとき会議中でしたか。

会議中：in a meeting
→ ①　　　　　②

LESSON 48

「過去進行形」とは？

過去進行形の形と意味／*Past Progressive*

「(今) ～しているところです」のように，「ちょうど今，している最中」であることを表すときは，be 動詞 (am，are，is) のあとに動詞の ing 形 (動詞の原形に ing をつけた形) を続けた，現在進行形の文を使うのでしたね。

「(そのとき) ～していました」のように，過去のある時に進行中だった動作を表すときは，過去進行形を使います。

過去進行形の文は，be 動詞の過去形 **was，were のあとに動詞の ing 形**をおきます。現在形･現在進行形と，過去形･過去進行形を比べながら見てみましょう。

現在進行形の文と過去進行形の文のちがいは，be 動詞が現在形 (am，are，is) か，過去形 (was，were) かのちがいだけで，そのあとの動詞の ing 形の部分は同じです。

否定文・疑問文のつくり方は現在進行形と同じで，be 動詞を過去形にすればOK です。

	否定文			疑問文		
現在進行形	He	isn't	sleeping.	Are	you	sleeping?
		↓		↓		
過去進行形	He	wasn't	sleeping.	Were	you	sleeping?

くわしく　過去進行形は，ある瞬間に「している最中だった」ことを表すのが原則で，日本語の「～していました」と同一ではありません。たとえば「きのうは何してたの？」は単純に What did you do yesterday? と言うほうが自然です。

EXERCISE

答えは別冊8ページ
答え合わせが終わったら，音声に合わせて英文を音読しましょう。

英語にしましょう。

1 私はそのとき眠っていました。

眠る：sleep

2 私たちはいっしょにテレビを見ていました。

テレビを見る：watch TV　いっしょに：together

3 エイミー（Amy）は手紙を書いていました。

手紙を書く：write a letter

4 ジョー（Joe）はそのとき勉強していませんでした。

5 彼らはおしゃべりしていませんでした。

おしゃべりする，話す：talk

6 あなたはバスを待っていたのですか。

～を待つ：wait for ～

7 あなたはそのとき何をしていたのですか。

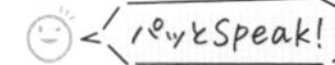

ふきだしの内容を英語で表しましょう。

どうして練習に遅れたのか聞かれました。

ジョーンズ先生（Ms. Jones）と
話してたんです。

～と話す：talk with ～

LESSON 49

過去の文の整理

一般動詞・be動詞の過去の文（まとめ）／ *Past Tense (Review)*

これまでに勉強した，一般動詞と be 動詞の過去の文をもう一度確認しましょう。

一般動詞は基本的には **ed** をつけて過去形にしますが，不規則動詞もあります。be 動詞の過去形は，am と is → **was**，are → **were** です。

一般動詞の文

主語	動詞	
I	played など	～.
He，She，It		
You		
We，They		

be 動詞の文

主語	be 動詞	
I	was	～.
He，She，It		
You	were	
We，They		

否定文は，一般動詞の場合，動詞の前に didn't（did not）を入れます。**動詞はいつも原形**（変化しないもとの形）を使うことに注意してください。

be 動詞の場合は，was，were のあとに not を入れます。

主語		動詞	
I	did not [didn't]	play など 動詞の原形	～.
He，She，It			
You			
We，They			

主語	be 動詞 + not	
I	was not [wasn't]	～.
He，She，It		
You	were not [weren't]	
We，They		

疑問文は，一般動詞の場合，Did で文を始めます。**動詞はいつも原形**です。be 動詞の場合は，Was，Were で文を始めます。

	主語	動詞	
Did	I	play など 動詞の原形	～?
	he，she，it		
	you		
	we，they		

答え方：Yes, ～ did.
No, ～ didn't.

be 動詞	主語	
Was	I	～?
	he，she，it	
Were	you	
	we，they	

答え方：Yes, ～ was[were].
No, ～ wasn't[weren't].

・文法用語　英語の文法における現在・過去の区別のことを「時制」といいます。動詞の現在形が表す時制が「現在時制」，過去形が表す時制が「過去時制」です。

1-58

EXERCISE

→答えは別冊8ページ
答え合わせが終わったら，音声に合わせて英文を音読しましょう。

［　　］内の語を適する形に変えて（　　）に書きましょう。

1　私はきのう忙しかった。
I (　　　　　) busy yesterday.　〔am〕

2　ティナはこの前の土曜日にパーティーを開きました。
Tina (　　　　　) a party last Saturday.　〔have〕

3　ボブと私はそのとき電話で話していました。
Bob and I (　　　　　) talking on the phone then.　〔are〕

4　私はこの前の夏，フィリピンに行きました。そこへの初めての旅行でした。
I (　　　　　) to the Philippines last summer.　〔go〕
It (　　　　　) my first trip there.　〔is〕
最初の　旅行

英語にしましょう。

5　私は，今日は仕事に行きませんでした。

仕事に行く：go to work

6　彼らはあなたに親切でしたか。

〜に親切である：be kind to 〜

7　あなたは今朝，早く起きましたか。

起きる：get up　早く：early

8　あなたはこの前の週末は何をしましたか。

週末：weekend

復習タイム

CHAPTER 09　過去形・過去進行形

答えは別冊8ページ

答え合わせが終わったら，音声に合わせて英文を音読しましょう。

1-59

1 適する動詞を下から選び，必要があれば形を変えて（　　）に書きましょう。同じ動詞を２回以上使ってもかまいません。

be　come　take　watch

1）I went to the lake and (　　　　　　) a lot of pictures there.

湖

2）Ken and George (　　　　　　) talking in the classroom then.

教室

3）Mr. White (　　　　　　) to Japan two years ago.

4）It (　　　　　　) sunny in Tokyo last Friday.

晴れた

5）Emma was (　　　　　　) a movie then.

2 次の質問に，（　　）内の内容で答える英文を書きましょう。

1）Was your father at home at six yesterday?　（→はい。）

at home：家に，在宅して

2）What did you do last Sunday?　（→私の妹とテニスをした。）

3）What time did you go to bed last night?　（→11時に寝た。）

go to bed：寝る

3 次の日本文を英語にしましょう。

1）私たちは先週，沖縄にいました。

2）彼は今朝，７時に起きました。

3）昨夜は寒くありませんでした。

寒い：cold

4）あなたはきのう英語を勉強しましたか。

5）私の母は以前，教師でした。

以前に：before

6）あなたは部屋で何をしていたのですか。

（あなたの）部屋で：in your room

Coffee Break

いろいろな不規則動詞

p.118で紹介したもの以外にも，基本的な動詞には不規則動詞がたくさんあります。出てくるたびに覚えるようにしましょう。また，巻末のp.300には「動詞の語形変化一覧表」があります。120以上の動詞について，すぐに調べられるようにアルファベット順にまとめてありますので，今後，動詞の変化形がわからないときはそこで確認しましょう。

□ begin（始まる）	began	□ buy（買う）	bought	□ find（見つける）	found
□ give（与える）	gave	□ hear（聞こえる）	heard	□ know（知っている）	knew
□ leave（去る）	left	□ meet（会う）	met	□ speak（話す）	spoke
□ take（取る）	took	□ tell（伝える，言う）	told	□ think（思う）	thought

基礎ができたら，もっとくわしく。

前置詞の使い分けを知ろう

Using Prepositions

前置詞〈→ p.50〉の意味と使い分けを確認しておきましょう。

in, on, at の使い分け		
in	「(ある空間)の中に[で]」	in the box（箱の中に[で]） in the kitchen（台所に[で]） in Japan（日本に[で]）
	年・月・季節	in 2022（2022 年に） in June（6 月に） in winter（冬に）
on	「～の上に[で]」 「～の表面に接触して」	on the table（テーブルの上に[で]） on the wall（壁に〈くっついて〉）
	日付・曜日	on May 5（5 月 5 日に） on Monday（月曜日に）
at	「～のところに[で]」	at the door（ドアのところに[で]） at the bus stop（バス停に[で]）
	時刻	at six（6 時に） at 10:30（10 時 30 分に）

いろいろな前置詞		
before	「～の前に」	before dinner（夕食前に）
after	「～のあとに」	after school（放課後に）
from	「～から」	a letter from him（彼からの手紙）
to	「～へ」	go to school（学校へ行く）
with	「～といっしょに」	go with him（彼といっしょに行く）
without	「～なしで」	live without water（水なしで生きる）

for	「～のために」 「～にとって」	buy a present for him （彼のためにプレゼントを買う）
	時間の長さについて 「(～分)間」「(～日)間」	walk for ten minutes（10分間歩く） stay there for two weeks （そこに2週間滞在する）
of	「～の」	the name of this song （この歌の名前）
as	「～として」	work as a volunteer （ボランティアとして働く）
like	「～のように[な]」	fly like a bird（鳥のように飛ぶ） That cloud looks like a fish. （あの雲は魚のように見えます。）
over	接触せずに「～の上に」 「～をこえて」	fly over the house（家の上を飛ぶ） over $100（100ドルをこえて）
under	接触せずに「～の下に」 「～より低い」	under the table（テーブルの下に） under 20 years old（20歳未満）
about	「～について」	talk about it（それについて話す）
around	「～のまわりに[を]」	walk around the house （家のまわりを歩く）
near	「～の近くに」	near my house（私の家の近くに）
by	「～で」「～によって」	by bus（バスで）
	期限を表して「～までに」	come back by ten （10時までに戻ってくる）
until	「～までずっと」	wait until ten（10時まで待つ）
between	「(2つ)の間に」	between A and B （AとBの間に）
among	「(3つ以上)の間に」	popular among young people （若い人たちの間で人気がある）
in front of	場所について「～の前に」	stand in front of the door （ドアの前に立つ）

LESSON 50 be going toとは？

未来を表す文／"be going to"

未来を表す文を学習する前に，現在の文と過去の文を確認しておきましょう。

英語では，「毎朝走ります」などふだんのことを表すときは現在形，「先週ハワイに行きました」など過去のことを表すときは過去形と，動詞の形を変えて使いましたね。

未来のことを言うには，動詞の形を変える必要はありません。「明日〜するつもりです」「〜します」のように，**予定や計画，しようとしていること**を言うときは，動詞の前に **be going to** を入れます。be とは，be 動詞のことです。

注意点は 2 つです。① be 動詞は主語によって am，are，is を使い分けます。② to のあとの動詞はいつも原形にします。

くわしく　確実な予定や計画については，I'm meeting Mika tomorrow.（私は明日，美香に会います。）のように，現在進行形を使って未来のことを表す場合もあります。「〜することになっている」のような意味合いです。

EXERCISE

答えは別冊9ページ
答え合わせが終わったら，音声に合わせて英文を音読しましょう。

be going toを使って英語にしましょう。

1 私は明日，テニスをします。

tomorrow.

明日

2 エイミー（Amy）は来週，友達に会います。

next week.

～に会う：meet　（彼女の）友達：her friend

3 彼はこの夏に中国を訪れる予定です。

this summer.

中国：China

4 私は今週末，買い物に行くつもりです。

買い物に行く：go shopping　今週末：this weekend

5 ジョンソンさん（Mr. Johnson）は来年，日本に来る予定です。

日本に来る：come to Japan　来年：next year

6 ごめんなさい，私は遅れそうです。

Sorry, で始めましょう。　遅れて：late

7 私たちのチームは，今度の月曜日にプレゼンをします。

チーム：team　プレゼンをする：make a presentation　今度の月曜日：next Monday

パッとSpeak!　ふきだしの内容を英語で表しましょう。

家に帰ってこれを読むつもり。

go home(家に帰る)と read this(これを読む)を and でつなげましょう。

LESSON 51 be going to の否定文・疑問文

未来の否定文・疑問文／ *"be going to" Questions*

be going to は be 動詞を使う表現なので，否定文・疑問文のつくり方は，be 動詞の文のときとまったく同じです。

否定文は，be 動詞（am，are，is）のあとに not を入れるだけです。**「〜するつもりはありません」「〜しません」**という意味になります。

be 動詞で文を始めれば，**「〜するつもりですか」「〜しますか」**と，Yes か No かをたずねる疑問文になります。be 動詞は主語に合わせて使い分けてくださいね。

be going to の否定文・疑問文では，do，does，did は使いません。また，to のあとの動詞はいつも原形です。

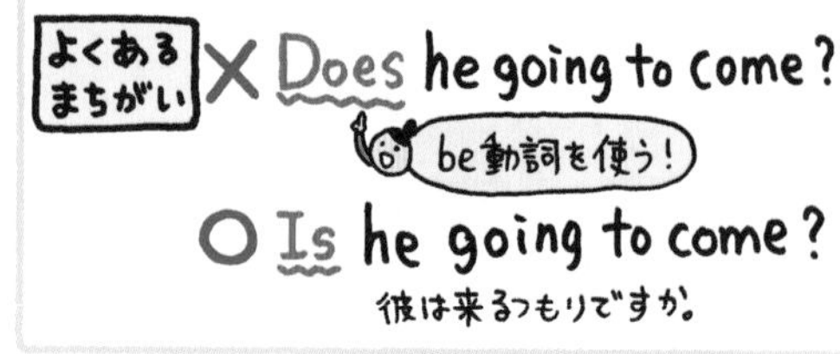

英会話 くだけた話しことばでは，going to を縮めて gonna と言うことがあります。たとえば，I'm going to play tennis. を I'm gonna play tennis. と言うことがあります。

EXERCISE

答えは別冊9ページ
答え合わせが終わったら，音声に合わせて英文を音読しましょう。

be going toを使って英語にしましょう。

1　私は今日は夕食は食べません。

食べる：have　夕食：dinner

2　私は今週末は仕事をしません。

仕事をする，働く：work　今週末：this weekend

be going toを使って英語にしましょう。
そのあとで，その質問に ①はい と ②いいえ で答えましょう。

（例）あなたは放課後，テニスをするつもりですか。
Are you going to play tennis after school?
→ ① Yes, I am.　② No, I'm not.

3　彼は明日，ここへ来ますか。

→ ①　②

4　あなたはこれを買うつもりですか。

→ ①　②

5　彼らは8月にオーストラリアを訪れる予定ですか。

訪れる：visit　オーストラリア：Australia

→ ①　②

6　あなたは今日，残業をする予定ですか。

残業をする：work overtime

→ ①　②

LESSON 52

「何をするつもりですか」

疑問詞で始まる未来の疑問文／*"be going to" Questions with What & How*

「何？」とたずねるときは，疑問詞 What で文を始めるのでしたね。

「あなたは何をするつもりですか」 は，**What are you going to do?** でたずねます。（この do は「する」という意味の動詞です。）

この質問には，be going to を使って，する内容を具体的に答えます。

What are you going to do? の do のかわりにほかの動詞を使うこともできます。また，What のほかに，When（いつ），Where（どこで），How long（どのくらいの期間），What time（何時に）などを使って，いろいろなことをたずねることができます。

くわしく　be going to は，was[were] going to という過去形で使われることもあります。「～するつもりだった」という意味で，過去の時点で決めていた予定などを表し，実際にはできなかったときによく使われます。

EXERCISE 答えは別冊9ページ
答え合わせが終わったら，音声に合わせて英文を音読しましょう。

be going toを使って英語にしましょう。

1 あなたは明日，何をしますか。

する：do

2 ジム（Jim）は今週末，何をする予定ですか。

3 彼はどこに行くのですか。

4 あなたはいつハワイ（Hawaii）を訪れるのですか。

5 あなたはそこにどのくらい滞在する予定ですか。

滞在する：stay　そこに：there

6 あなたはどこに泊まるのですか。

泊まる：stay

7 あなたは明日，何時に起きますか。

質問に英語で答えましょう。（　　）内の内容を答えてください。

8 What are you going to do tomorrow?
（→私は買い物に行くつもりです。）

買い物に行く：go shopping

9 Where is she going to visit?
（→彼女は京都を訪れる予定です。）

LESSON 53 will とは？

未来を表す文／"will"

be going to を使う以外にも，未来のことを表す言い方があります。

will という語を動詞の前に入れると，未来のことを表す文になります。**「～しますよ」**という意志や，**「(きっと)～ですよ」**という予想を表します。

will は主語によって形が変わることはなく，あとの動詞はいつも原形を使います。

会話では，短縮形がよく使われます。右の例以外に，You'll，We'll，It'll，They'll があります。

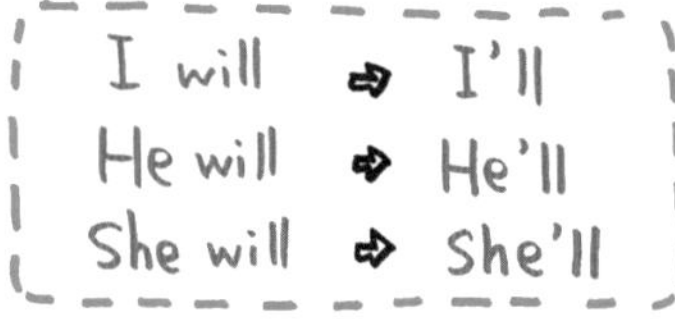

will も be going to もどちらも「未来」を表しますが，その意味は同じではありません。特に**すでに決まっている予定や計画**を言うときは be going to のほうを使います。一方で，「～しますよ」と**聞き手に対して申し出たり，約束したり，案内したりする**ときは will のほうを使います。

• 学び直し　will は，can〈→ p.148〉と同じ「助動詞」で，話し手自身の気持ちや判断を聞き手に伝える働きをしています。can と同じように，あとの動詞はいつも原形を使います。

EXERCISE

答えは別冊9ページ
答え合わせが終わったら，音声に合わせて英文を音読しましょう。

willを使って英語にしましょう。

1 30分後にあなたに電話しますね。

～後に：in ～　30分：thirty minutes

2 私があなたといっしょに行きますよ。

～といっしょに：with

3 私がジョーンズさん（Mr. Jones）に聞きますよ。

聞く，たずねる：ask

4 彼女はまもなくもどりますよ。

もどる：be back　まもなく：soon

5 私たちは今日の午後にはひまになりますよ。

ひまな：free　今日の午後には：this afternoon

6 あなたはよい先生になりますよ。

よい先生：a good teacher

7 荷物は火曜日に届きますよ。

荷物・小包：the package　届く：arrive　～曜日に：on ～

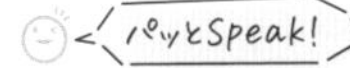

ふきだしの内容を英語で表しましょう。

「荷物が重いわ」と言っています。

それ，持ちますよ。

「運ぶ」という意味のcarryを使いましょう。

LESSON 54 willの否定文・疑問文

未来の否定文・疑問文／ *"Will ～?" Questions*

willを使って**「～しません」「～しないでしょう」**と言うときは，動詞の前に**will not**（短縮形は**won't**）を入れます。

willの疑問文はWillで文を始めます。主語がyouならWill you ～?，heならWill he ～? とします。

Will ～？の疑問文には，ふつうYes, ～ will. またはNo, ～ will not. の形で答えます。will notは短縮形のwon'tがよく使われます。

willを使う文では，**動詞はいつでも原形を使う**という点に注意してください。

英会話 Will you ～? は，「～してくれますか」という依頼の意味〈→ p.156〉や，「～しませんか」という勧誘の意味でも使われることがあります。

EXERCISE

答えは別冊9ページ
答え合わせが終わったら，音声に合わせて英文を音読しましょう。

willを使って英語にしましょう。

1　私はもうそこには行きません。

（否定文で）もう（二度と）：again

2　私は今夜は遅くなりませんよ。

遅くなる：be late　今夜は：tonight

3　私はだれにも言いません。

言う，話す：tell　だれにも：anyone

4　そのアイディアはうまくいきませんよ。

そのアイディア：that idea　うまくいく：work

willを使って英語にしましょう。そのあとで，その質問に ①はい と ②いいえ で答えましょう。

（例）　あなたは今度の土曜日は家にいますか。

Will you be at home next Saturday?

→ ①　Yes, I will.　②　No, I won't.

5　荷物は火曜日までに届きますか。

荷物：the package　届く：arrive　～までに：by

→ ①　②

6　ミラーさん（Ms. Miller）は会議に来ますか。

会議：the meeting

→ ①　②

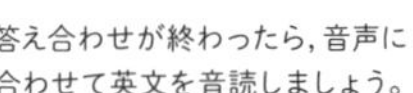

1-65

答えは別冊9ページ

答え合わせが終わったら，音声に合わせて英文を音読しましょう。

CHAPTER 10　未来の言い方

1 次の（　　）内から適するものを選び，○で囲みましょう。

1）I (will / going / am going) to visit my grandmother tomorrow.
祖母

2）The phone is ringing. I (am / going to / will) answer it.
電話　鳴る　(電話に)出る

3）We're going to (go / goes / going) to the mountains this summer.
山

4）(Will / Is / Are) Lisa and Mark come to the party?

5）Will she (be / is / was) a good tennis player?
選手

6）Emily (won't / isn't / aren't) be at the meeting tomorrow.

2 次の質問に，（　　）内の内容で答える英文を書きましょう。

1）Are you going to make curry for dinner?　(→はい)
カレー

2）Will Mr. Smith be here later?　(→いいえ)
あとで

3）What are you going to do this weekend?　(→自分の部屋をそうじする)

そうじする：clean

4）How long is Ms. Wilson going to stay in Japan?　(→3週間滞在する予定)

----

3 次の日本文を（　　）内の語句を使って英語にしましょう。

1）私が今すぐに，彼女に電話をしますね。(will)

今すぐに，今：now

2）明日の朝は晴れますか。(will)

晴れた：sunny　明日の～：tomorrow ～

3）私は来週，エマ（Emma）に会う予定です。(be going to)

4）あなたたちはどこでお昼を食べますか。(be going to)

お昼を食べる：have lunch

5）私は今年は海外に行く予定はありません。(be going to)

海外に行く：go abroad

6）あなたのお父さんはもうそろそろ定年ですか。(be going to)

定年退職する：retire　もうそろそろ：soon

Coffee Break

mightの意味と使い方

助動詞のmightは，「(ひょっとすると) ～かもしれない」という意味です。willは「(必ず) ～しますよ」「(きっと) ～ですよ」という強い気持ちを表すことがありますが，確信がないときにはmightを使います。

・Try it. You will like it.（食べてみて。必ず気に入りますよ。）
　Try it. You might like it.（食べてみて。もしかしたら気に入るかもしれません。）
・It will rain later.（きっとあとで雨が降りますよ。）
　It might rain later.（ひょとしたらあとで雨が降るかもしれません。）

また, mightは「はっきりと言い切れない」という自分の気持ちを表すときにもよく使われます。

・I might go camping next month.（来月，キャンプに行くかもしれません。）
・I might be a little late.（私は少し遅れるかもしれません。）
・I might change jobs.（私は転職するかもしれません。）

LESSON 55 「～できる」の can

助動詞canの文・canの否定文／“can”

今回は，「～できる」という言い方について学習します。

「泳げる」「英語が話せる」などのように「～できる」と言うときは，**動詞の前にcan**を入れます。

「～できない」と言うときは，can のかわりに否定形の **cannot**（または短縮形 **can't**）を使えば OK です。会話ではふつう can't を使います。

注意点は 2 つです。① can や cannot のあとには「動詞」がないと文が成立しません。また，② can や cannot のあとの動詞はいつも原形を使います。

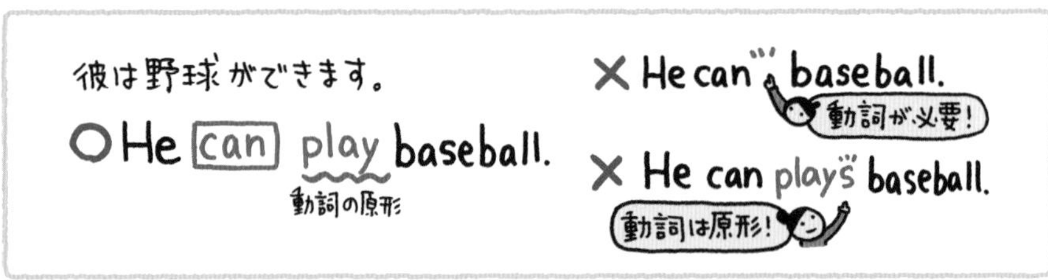

can は「～してもよい」という意味を表すこともあります。You can go home.（あなたは家に帰れます。）なら，「帰ってもいいですよ。」という意味になります。

・英会話 can と can't は発音が似ているので聞き取りにくいことがありますが，肯定の can はふつう弱く，短めに発音されるのに対し，否定の can't はふつう強く，長めに発音されます。

EXERCISE

答えは別冊9ページ
答え合わせが終わったら，音声に合わせて英文を音読しましょう。

英語にしましょう。

1 私はピアノが弾けます。

ピアノ：the piano

2 アレックス（Alex）はギターが弾けません。

ギター：the guitar

3 彼は速く走れます。

走る：run　速く：fast

4 彼女は日本語が読めません。

読む：read　日本語：Japanese

5 私はあなたといっしょに行けますよ。

6 この電話を使っていいですよ。

電話：phone

7 私はその会議には参加できません。

参加する：join　その会議：the meeting

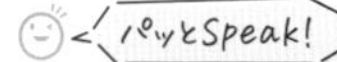

ふきだしの内容を英語で表しましょう。

オンライン授業で先生の音声が聞こえません。

ごめんなさい，聞こえません。

Sorry, で始めましょう。（あなたの声が）聞こえる：hear you

LESSON 56 「～できますか」

canの疑問文／"Can ～?" Questions

canを使って「～できますか」とたずねるときは，Canで文を始めます。

たとえば，主語がyouなら**Can you ～?**，主語がheなら**Can he ～?**とします。

Can ～? の疑問文には，ふつうYes, ～ can. またはNo, ～ cannot.（短縮形はcan't）の形で答えます。

canを使う文では，**動詞はいつも原形を使う**という点に注意してください。

彼は野球ができますか。

○ Can he play baseball?

× Can he plays baseball?

Canの文では，動詞はいつも原形!

くわしく　canの否定形は，can notのようにcanとnotを分けて書いてもまちがいではありませんが，can'tまたはcannotのように1語で書くのがふつうです。

EXERCISE

答えは別冊10ページ
答え合わせが終わったら，音声に合わせて英文を音読しましょう。

疑問文に書きかえましょう。

1 You can play the piano. →あなたはピアノが弾けますか。

2 She can read Japanese. →彼女は日本語が読めますか。

read：読む　Japanese：日本語

英語にしましょう。そのあとで，その質問に ①はい と ②いいえ で答えましょう。

（例） あなたは料理ができますか。
Can you cook?
→ ① Yes, I can.　② No, I can't.

3 あなたはスキーができますか。

スキーをする：ski（動詞）

→ ①　②

4 あなたのお姉さんは車を運転できますか。

あなたのお姉さん：your sister　運転する：drive

→ ①　②

5 あの看板が見えますか。

看板，標識：sign

→ ①　②

6 （私の声が）聞こえますか。

（私の声・言うことが）聞こえる，耳に入る：hear me

→ ①　②

LESSON 57

「〜してもいい？」「〜してくれる？」

Can I 〜?, Can you 〜? ／ *Casual Requests*

canの疑問文は，「〜できますか」とたずねるとき以外にも，会話でよく使われます。

Can I 〜? は，文字通りには「私は〜できますか」とたずねる文ですが，**「〜してもいいですか」と許可を求める**ときに使われます。

Can you 〜? は，もともとは「あなたは〜できますか」とたずねる文ですが，**「〜してくれますか」と何かを依頼する**ときにも使われます。

許可を求める Can I 〜?（〜してもいいですか）と，依頼の Can you 〜?（〜してくれますか）に「はい」と答えるときには，Yes, you can. や Yes, I can. ではなく Sure.（もちろん。）などの表現を使うのがふつうです。

・英会話　Can I 〜? には May I 〜?〈→ p.156〉の「ていねいさ」はありませんが，そのぶんフレンドリーな感じがあり，友人だけでなく店員などとの会話でもよく使われます。Can I 〜, please? のように please をつけるといいでしょう。

EXERCISE

答えは別冊10ページ
答え合わせが終わったら，音声に合わせて英文を音読しましょう。

英語にしましょう。

1 あなたの電話を使ってもいいですか。

使う：use　電話：phone

2 ドアを開けてくれますか。

開ける：open　ドア：the door

3 私を手伝ってくれませんか。

手伝う：help　私を：me

4 この手紙を読んでもいいですか。

読む：read　手紙：letter

5 それを見てもいいですか。

見る：see　それ：it

6 水をもらえますか。

もらう：have　（いくらかの）水：some water

7 この上着を試着してもいいですか。

～を試着する：try on ～　上着：jacket

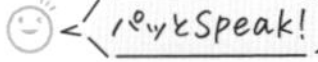

ふきだしの内容を英語で表しましょう。

機内が寒いので，乗務員さんに聞いてみましょう。

毛布をもらえますか？

もらう：have　毛布：a blanket

LESSON 58

「～していただけますか」

Could you ～? ／ *Polite Requests*

何かを依頼するときには Can you ～? が使えるのでしたね。実はこの Can you ～? は，**「～してくれる？」といった程度の気軽な言い方**なので，あまりていねいな頼み方ではありません。

Can you ～? の can のかわりに **could** を使うと，**「～していただけますか」「～してくださいますか」**のように，よりていねいな頼み方になります。Could you ～? は「可能かどうか」をより控えめにたずねるニュアンスになるので，相手が手間に思うかもしれないとき，だれに対しても使える依頼の表現です。

Could you ～? に対する答え方は，依頼の Can you ～? のときと同じです。

● くわしく　could は助動詞 can の過去形で，「～できた」という意味でも使われます。 I couldn't find the book. なら「私はその本を見つけられなかった。」という意味になります。

EXERCISE

答えは別冊10ページ
答え合わせが終わったら，音声に合わせて英文を音読しましょう。

（　　）内の語を使って，英語にしましょう。

1　こっちに来てくれる？　（ can ）

こっちに：here

2　私を手伝っていただけますか。　（ could ）

手伝う：help

3　ここで待っていただけますか。　（ could ）

待つ：wait　　ここで：here

4　写真を撮っていただけますか。　（ could ）

写真：a picture

5　暖房をつけていただけますか。　（ could ）

（スイッチを）つける：turn on　　暖房：the heater

6　タクシーを呼んでいただけますか。　（ could ）

呼ぶ：call　　タクシー：a taxi

7　それを書いていただけますか。　（ could ）

それを書き留める：write it down

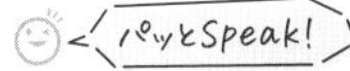

ふきだしの内容を英語で表しましょう。

相手が早口で聞き取れませんでした。

すみません，
もう一度言っていただけますか。

Sorry, で始めましょう。　　もう一度言う：say that again

LESSON 59 依頼の Will you ～? など

"Will/Would you ～?", "May I ～?"

Will you ～? は，未来のことをたずねるとき〈→ p.144〉に使いますが，**「～してくれますか」**と依頼するときにも使われます。(「～してくれるかい」「～してちょうだい」のように，相手にしてもらうことが前提になっているように聞こえる場合もあるので，Can you ～? を使うほうが無難です。)

willのかわりに**would**を使うと，Will you ～? よりは控えめな依頼の文になります。(これも相手が断りにくい場合があるので，Could you ～? を使うほうが感じがよく，無難です。)

May I ～? は，**「～してもいいですか」**と許可を求めるときに使われます。**Can I ～? よりもていねいな表現**で，目上の人にも使えます。

Will you ～?, Would you ～?, May I ～?, Can I ～? への答え方は，Can you ～? や Could you ～? と同じです。

● 英会話 状況によって意味がわかる場合には，May I?（よろしいですか？）という２語だけで許可を求める言い方もよく使われます。たとえば，空席を指さしながら May I? と言えば「ここにすわってもいいですか？」という意味になります。

EXERCISE

答えは別冊10ページ
答え合わせが終わったら，音声に合わせて英文を音読しましょう。

（　）内の語を使って，英語にしましょう。

1 私を手伝ってくれますか。（will）

2 お皿を洗ってくれますか。（will）

皿を洗う：wash the dishes

3 窓を閉めてもらえますか。（would）

閉める：close　窓：the window

4 ここにすわってもいいですか。（may）

すわる：sit　ここに：here

5 あなたのコンピューターを使ってもいいですか。（may）

使う：use　コンピューター：computer

6 あなたのお名前をいただけますか。（may）

, please?

もらう：have

7 （ウェイターなどが客に）ご注文をうかがってもよろしいですか。（may）

（あなたの）注文を聞く：take your order

パッとSpeak! ふきだしの内容を英語で表しましょう。

校長先生の部屋に入る前に声をかけましょう。

入ってもよろしいですか。

入る：come in

LESSON 60 「～しましょうか？」

"Shall I ～?", "Shall we ～?"

ここでは，shall という語を使った表現について学習します。

Shall I ～? は，**「(私が)～しましょうか」**と申し出るときに使われます。比較的改まった言い方になります。

Shall we ～? は，**「(いっしょに)～しましょうか」**と誘ったり，提案したりするときに使われます。これも改まった言い方です。

また，困ったことなどが発生して「どうすればよいだろうか」と言うときには，What shall we[I] do? と言います。これも覚えておきましょう。

英会話 shall には改まった感じがあるので，日常の会話ではそれほど使われません。Shall I ～? のかわりに Do you want me to ～? や Should I ～? が，Shall we ～? のかわりに Why don't we ～? などがよく使われます。

1-71

EXERCISE

答えは別冊10ページ
答え合わせが終わったら，音声に合わせて英文を音読しましょう。

shallを使って英語にしましょう。

1　お手伝いしましょうか。

手伝う：help

2　いっしょに昼食をとりましょうか。

昼食：lunch　いっしょに：together

3　あとであなたに電話しましょうか。

電話する：call　あとで：later

4　窓を開けましょうか。

窓：the window

5　水を持ってきましょうか。

持ってくる：bring　水：some water

6　今日の午後，散歩に行きましょうか。

散歩に行く：go for a walk

7　（私たちは）どこに行きましょうか。

8　〈道に迷って〉私たちはどうしましょうか。

LESSON 61 「～しなければならない」①

"have to ～", "has to ～"

今回は，**何か事情やルールがあって**，しなくてはいけないことを伝える言い方を学習します。

「もう家へ帰らなければならない」「ここでは英語を話さなければならない」のように，**「～しなければならない」**と言うときは，動詞の前に **have to** を入れます。

have to の have は，「持っている」という意味の動詞ではありません。have to は「～しなければならない」という意味の熟語のようなものだと考えてください。

主語が３人称単数のときは **has to ～** と言います。

注意点は２つです。①主語によって have と has を使い分けます。② to のあとの動詞はいつも原形を使います。

くわしく　過去のことについて「～しなければならなかった」と言いたいときは，have を過去形にして had to で表します。
（例）I had to get up early this morning.（私は今朝は早起きしなければなりませんでした。）

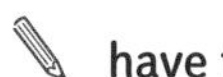

→答えは別冊10ページ
答え合わせが終わったら，音声に合わせて英文を音読しましょう。

have toかhas toを使って，英語にしましょう。

1 私は明日は５時に起きなければなりません。

2 彼は朝食を作らなければなりません。

朝食：breakfast

3 ニック（Nick）は病院に行かなければなりません。

病院：the hospital

4 あなたはピアノを練習しなければなりません。

ピアノを練習する：practice the piano

5 私は今，宿題を終わらせなければなりません。

（私の）宿題を終わらせる：finish my homework

6 私は今週末は仕事に行かなければなりません。

仕事に行く：go to work　今週末：this weekend

7 スミスさん(Mr. Smith)は子どもたちを学校に迎えに行かなければいけません。

子どもたちを学校に迎えに行く：pick his kids up from school

パッとSpeak! **ふきだしの内容を英語で表しましょう。**

気づいたら，もう帰らないといけない時間です。

もう行かないと。

もう：now

LESSON 62 have to の否定文・疑問文

have[has] to ～の否定文・疑問文／*"have to" Questions*

have to の前に don't か doesn't を入れると否定文になります。主語が３人称単数のときは doesn't have to です（has は使いません）。

否定文は，**「～する必要はない」「～しなくてもよい」**の意味になります。

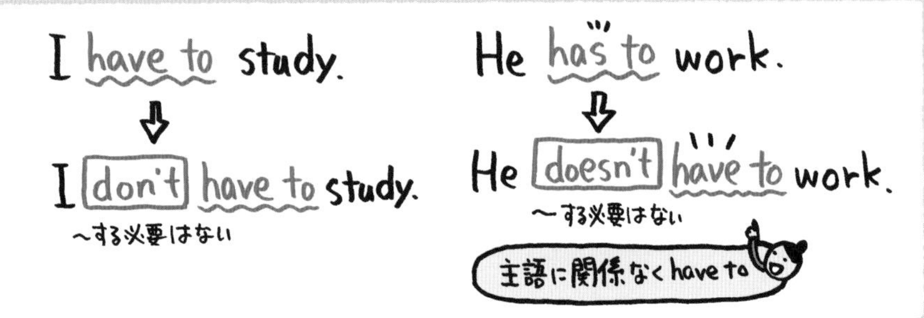

have to の疑問文は，Do か Does で文を始めます。主語が３人称単数なら Does … have to ～? です（has は使いません）。

疑問文は，**「～しなければなりませんか」**の意味になります。

答え方も，ふつうの Do[Does] ～? の疑問文に答えるときと同じです。

No の答えは，「その必要はない」「そうしなくてもよい」の意味になります。

・くわしく　have to の過去の否定文は didn't have to，疑問文は Did … have to ～? です。（例）I didn't have to wait.（私は待つ必要はありませんでした。）Did you have to wait?（あなたは待たなければなりませんでしたか。）

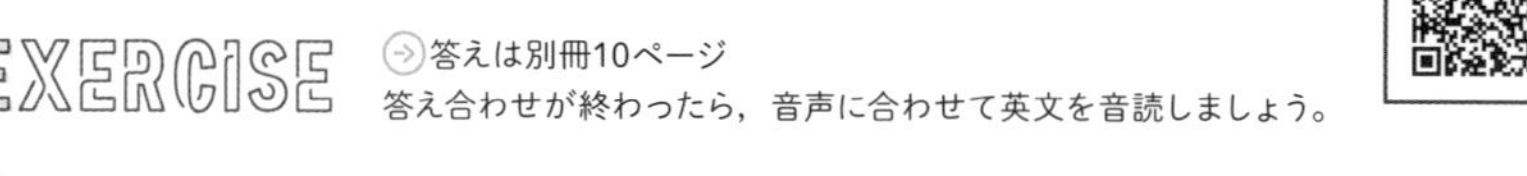

EXERCISE

答えは別冊10ページ
答え合わせが終わったら，音声に合わせて英文を音読しましょう。

1と2は否定文に，3と4は疑問文に書きかえましょう。

1 You have to hurry. →急ぐ必要はありません。

hurry：急ぐ

2 Amy has to get up early tomorrow.
→エイミーは明日，早く起きる必要はありません。

3 You have to finish this by tomorrow.
→あなたは明日までにこれを終わらせなければなりませんか。

4 Jim has to leave Japan next month.
→ジムは来月，日本を去らなければなりませんか。

leave：去る

英語にしましょう。
7はそのあとで，その質問に ①はい と ②いいえ で答えましょう。

5 あなたはもう行かなければなりませんか。

もう：now

6 私は今日は仕事をしなくていいのです。

仕事をする，働く：work

7 私はその会議に出ないといけませんか。

その会議に出る：join the meeting

→ ①　　　　　　②

LESSON 63 「～しなければならない」②

"must"

「(どうしても)しなければ！」「(ぜひ)そうすべきだ」という**話し手の主観的な思い**を表す場合には，have to よりも **must** をよく使います。

must は１語で **「～しなければならない」** という意味で，動詞の原形の前に入れます。

must は主語が３人称単数であっても形は変わりません。

must の否定文は，must のあとに not を入れます。must not の短縮形は mustn't となります。

must の否定文は，強い禁止を表し，**「～してはならない」** という意味です。

否定の mustn't と don't have to は意味がちがうので気をつけましょう。

英会話 have to は何か客観的な事情があって「しないわけにはいかない」という状況を表し，must は「(どうしても) しなければ」という話し手自身の気持ちを表します。実際の会話では，must よりも have to を使う機会のほうが多いです。

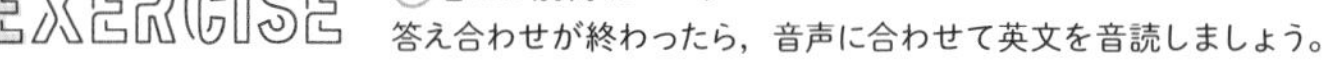

EXERCISE

答えは別冊10ページ
答え合わせが終わったら，音声に合わせて英文を音読しましょう。

mustを使って，英語にしましょう。

1　あなたは病院に行かなければなりません。

病院：the hospital

2　あなたがたは，授業中は日本語を使ってはいけません。

授業中：in class

3　あなたはこれらの絵にさわってはいけません。

さわる：touch　絵：paintings

4　彼は今日は家にいなければなりません。

家にいる：stay home

5　（あなたは）４月１日までに申し込まなければなりません。

申し込む：apply　～までに：by ～

6　私たちはあきらめてはいけません。

あきらめる：give up

7　全員マスクを着用しなければなりません。

全員，だれもがみな：everyone　着用する：wear　マスク：a mask

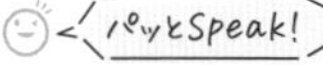

ふきだしの内容を英語で表しましょう。

気づいたら遅刻ギリギリの時間です。

私たち，急がないと。

must を使って表しましょう。　急ぐ：hurry

復習タイム

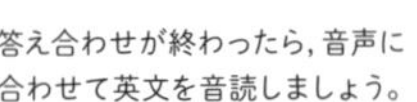
答えは別冊11ページ

答え合わせが終わったら，音声に合わせて英文を音読しましょう。

CHAPTER 11　助動詞・have toなど

1 次の（　　）内から適するものを選び，○で囲みましょう。

1）I (can / have / must) to study math today.
数学 (math)

2）You (aren't / don't / mustn't) have to eat it.
食べる (eat)

3）You (must / have / has) listen to your teacher.
聞く (listen)

4）You mustn't (swim / swims / swimming) here.

2 次の質問に対する答えの文として適するものを１つ選び，記号を○で囲みましょう。

1）Can I use your pencil?
ア　Yes, I can.　イ　OK. Here you are.　ウ　No, I can't.

2）Do I have to go now?
ア　Yes, I do.　イ　No, thank you.　ウ　No, you don't.

3）Will you close the door?
ア　Sure.　イ　Yes, you will.　ウ　No, I don't.

4）Shall we have dinner now?
ア　Yes, we did.　イ　No, you don't.　ウ　Yes, let's.

5）Could you help me with my homework?　help（人）with ～：（人）の～を手伝う
ア　Yes, please.　イ　No, thank you.
ウ　I'm sorry, but I'm busy today.

3 次のような場合，相手にどう言えばよいですか。(　　) 内の語を使って，英文にしましょう。

1)「お手伝いしましょうか。」と，相手に申し出るとき。(shall)

2) 相手の部屋に「入ってもいいですか。」と，許可を求めるとき。(may)

入る：come in

3)「窓を開けてくれる？」と，相手にお願いするとき。(can)

4)「心配する必要はありませんよ。」と，相手に言うとき。(have)

心配する：worry

5)「2時にここで会いましょうか。」と，相手に提案するとき。(shall)

会う：meet　　ここで：here

6)「ここで待っていていただけますか。」とお願いするとき。(could)

Coffee Break

shouldの意味と使い方

助動詞のshouldは，「～したほうがよい」「～すべきだ」という意味です。軽い提案や，自分のおすすめを伝えるときに使うほか，忠告やアドバイスなどをするときにも使います。

◆「提案・おすすめ」

・You should watch this video.　(この動画を見たほうがいいですよ。)

◆「助言・アドバイス」

・Where should I get off the bus?　(どこでバスを降りればいいですか。)

・You should ask your mom first.　(最初にお母さんに聞くべきです。)

◆「忠告・注意」

・You should be more careful.　(あなたはもっと注意深くあるべきです。)

また，Should I ～?の形で「(私が)～しましょうか」と申し出るときにも使われます。Shall I ～?よりも気軽な言い方です。

・Should I open the window?　(窓を開けましょうか。〈開けたほうがいいですか。〉)

LESSON 64

「不定詞」とは？

不定詞の形と使い方／*How to Use the Infinitive "to do"*

1つの文に動詞は1つ，というのが英語の文の原則でしたね。でも，それだと単純な内容の文しかつくれません。

I went to the library.
動詞
図書館に行きました。

たとえば，上の「私は図書館に行きました。」という単純な文をレベルアップして，「私は**勉強するために**図書館に行きました。」と言いたいときに使うのが，今回から学習する「不定詞」です。

やり方は簡単で，上の文に「勉強するために」を表す to study を追加するだけです。

この〈to ＋動詞〉を「不定詞」といいます。不定詞を使うと，文全体の動詞（上の文では went）に情報をプラスできます。

上の文は，過去の文なのに，to のあとの動詞は study のままですね。〈to ＋動詞〉の**動詞はどんなときでも原形のまま**です。

不定詞は，「～するために」のほかにも，「～すること」「～するための」などの意味を表します。くわしくは次回から学習しますので，今回は① 〈to ＋動詞〉で「～するために」の意味を表せる，② to のあとの動詞はいつも原形 という2点をしっかり覚えてください。

● 文法用語 動詞は本来，主語（３人称単数かどうか）と時制（現在か過去か）によって使う形が「定まり」ます。しかし不定詞は，文の骨組みとなる動詞本来の働きを離れ，主語や時制の定めなく使う形なので「不定」詞と呼ばれます。

EXERCISE

答えは別冊11ページ
答え合わせが終わったら，音声に合わせて英文を音読しましょう。

日本文に合う正しい英文を選び，記号を○で囲みましょう。

1 私は英語を勉強するために図書館に行きます。

ア I go to the library to study English.

イ I go to the library study English.

2 彼はテニスをするために公園へ行きます。

ア He goes to the park to play tennis.

イ He goes to the park to plays tennis.

3 私は友人に会うために京都を訪れました。

ア I visited Kyoto to saw my friend.

イ I visited Kyoto to see my friend.

英文に下線部の情報をつけ加えて書きかえましょう。

（例） I went to the library.
→私は勉強するために図書館に行きました。
I went to the library to study.

4 He gets up early. →彼は朝食を作るために早起きします。

朝食：breakfast

5 Mike went to the office.
→マイクは仕事をしにオフィスに行きました。

仕事を（いくらか）する：do some work

LESSON 65 「～するために」

不定詞（副詞的用法）／ *"to do" Adverb Phrases*

〈to ＋動詞の原形〉の基本その１です。〈to ＋動詞の原形〉は，**「～するために」**という意味で「目的」を表すことができます。たとえば「おじに会うために沖縄を訪れた」などと言うときに，〈to ＋動詞の原形〉が使われます。

〈to ＋動詞の原形〉は，「～するために」だけでなく **「～して（うれしい）」** などと言うときにも使われます。たとえば「あなたにまた会えてうれしいです」などと言うときです。

「うれしい」という気持ちになった原因を〈to ＋動詞の原形〉で説明しているのです。

右のように，気持ち（感情）を表す形容詞とセットで使われます。

be happy(glad) to～	～してうれしい
be sad to～	～して悲しい
be sorry to～	～して残念だ
be surprised to～	～して驚く

• 文法用語　「～するために」の意味の不定詞は，文全体の動詞に説明を加えます。また，「～して」の意味の不定詞は，前の形容詞に説明を加えます。動詞や形容詞を修飾するという働きが副詞と同じなので，「副詞的用法」の不定詞と呼ばれます。

EXERCISE

答えは別冊11ページ
答え合わせが終わったら，音声に合わせて英文を音読しましょう。

英語にしましょう。

1 私は美術を勉強するためにパリに行きました。
I went to Paris ＿＿＿＿＿＿＿＿ art.
美術

2 エリカは先生になるために英語を勉強しています。
Erika studies English ＿＿＿＿＿＿＿＿.
〜になる：be

3 彼はゲームをするためにコンピューターを買いました。
He bought a computer ＿＿＿＿＿＿＿＿.
ゲーム：games

4 私の兄は車を買うために熱心に働きました。
My brother worked hard ＿＿＿＿＿＿＿＿.
熱心に

5 私は犬の散歩をするために早く起きました。

＿＿＿＿＿＿＿＿

早く：early　（私の）犬を散歩させる：walk my dog

6 スミスさん（Mr. Smith）が今朝，あなたに会いに来ました。

＿＿＿＿＿＿＿＿

会う：see

7 私はそれを聞いてうれしいです。

＿＿＿＿＿＿＿＿

うれしい：be happy　聞く：hear　（相手の言ったことを受けて）それ：that

8 私はそれを聞いて残念に思います。

＿＿＿＿＿＿＿＿

残念な：be sorry

9 私はその写真を見て驚きました。

＿＿＿＿＿＿＿＿

驚いた：be surprised　その写真：the picture

LESSON 66

「〜すること」

不定詞（名詞的用法）／ *"to do" Noun Phrases*

〈to＋動詞の原形〉の意味その２です。〈to＋動詞の原形〉は，**「〜すること」**という意味も表すことができます。like や want などの動詞のあとで使われます。

たとえば like to 〜で **「〜するのが好きだ」** という意味になります。

want は「ほしがる，望む」という意味なので，want to 〜は「〜することを望む」→ **「〜したい」** という意味になります。

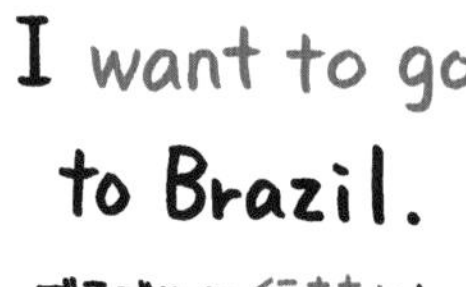

ブラジルに行きたい！

I want to be
a soccer player.

サッカー選手になりたい！

「〜すること」という意味の〈to＋動詞の原形〉は，ほかに右のような形でよく使われます。

start (begin) to〜	〜し始める
try to〜	〜しようとする
need to〜	〜する必要がある
decide to〜	〜する決心をする

● 文法用語　「〜すること」の意味の不定詞は，like to 〜や want to 〜のように動詞の目的語になるほか，文の主語や補語になる場合もあります。名詞のような働きをするので，「名詞的用法」の不定詞と呼ばれます。

EXERCISE

答えは別冊11ページ
答え合わせが終わったら，音声に合わせて英文を音読しましょう。

英語にしましょう。

1 私はたくさんの国を訪れたいです。
I want ＿＿＿＿＿＿＿＿＿＿＿＿＿＿＿＿＿＿.
訪れる：visit　たくさんの国：many countries

2 私は将来，教師になりたいです。
I want ＿＿＿＿＿＿＿＿＿＿＿＿＿＿＿＿＿＿.
教師：a teacher　将来：in the future

3 ジョーンズさんは写真を撮るのが好きです。
Mr. Jones likes ＿＿＿＿＿＿＿＿＿＿＿＿＿＿＿＿＿＿.
写真を撮る：take pictures

4 雨が降り始めました。
It began ＿＿＿＿＿＿＿＿＿＿＿＿＿＿＿＿＿＿.
雨が降る：rain

5 彼は去年，日本語を勉強し始めました。
He started ＿＿＿＿＿＿＿＿＿＿＿＿＿＿＿＿＿＿.

6 私は彼に英語で話しかけようとしました。
I tried ＿＿＿＿＿＿＿＿＿＿＿＿＿＿＿＿＿＿.
～に話しかける：speak to ～　英語で：in English

7 彼は野菜をいくらか買う必要がありました。
He needed ＿＿＿＿＿＿＿＿＿＿＿＿＿＿＿＿＿＿.
いくらかの野菜：some vegetables

8 私は転職する決心をしました。
I decided ＿＿＿＿＿＿＿＿＿＿＿＿＿＿＿＿＿＿.
転職する：change jobs

9 私は人前で話すことが好きではありません。
I don't like ＿＿＿＿＿＿＿＿＿＿＿＿＿＿＿＿＿＿.
話す：speak　人前で：in front of people

LESSON 67 「～するための」

不定詞（形容詞的用法）／ *"to do" Adjective Phrases*

〈to＋動詞の原形〉の意味その3です。〈to＋動詞の原形〉は，**「～するための」「～するべき」**という意味でも使われます。

たとえばhomework to doで「するべき宿題」，time to watch TVで「テレビを見るための時間」という意味になります。

homework（宿題）やtime（時間）といった名詞に，**うしろから説明をつけ加える**形になっています。

something to ～で，「何か～する(ための)物」という意味を表します。たとえばsomething to eatだと「何か食べる物」という意味になります。

ちなみにnothingは1語で「何も～ない」という否定の意味（＝not ～ anything）を表します。（I have nothing to do. ＝ I don't have anything to do.）

文法用語　「～するための」の意味の不定詞は，直前の名詞や，somethingなどの代名詞に説明を加える働きをします。名詞を修飾するという働きが形容詞と同じなので，「形容詞的用法」の不定詞と呼ばれます。

EXERCISE

答えは別冊11ページ
答え合わせが終わったら，音声に合わせて英文を音読しましょう。

英語にしましょう。

1 私は今日，やるべき仕事がたくさんあります。
I have a lot of ______ today.
仕事：work

2 彼女には本を読む時間がありません。
She doesn't have ______.
本を読む：read books

3 京都には見るべき場所がたくさんあります。
There are many ______ in Kyoto.
場所：places　見る：see

4 もう寝る時間ですよ，ジョー。
It's ______, Joe.
寝る：go to bed

5 私は何か飲む物がほしい。
I want ______.
飲む：drink

6 あなたは明日，何かやることがありますか。
Do you have ______ tomorrow?
（疑問文で）何か：anything

7 何か食べる物を買いましょう。
Let's get ______.
食べる：eat

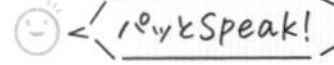

ふきだしの内容を英語で表しましょう。

これからの予定を聞かれました。

今日は何もやることないよ。

______

nothingを使いましょう。

LESSON 68

「動名詞」とは？

動名詞の形と意味／*What Are Gerunds?*

英語で「～することが好きだ」と言うときには，like to ～を使えばよかったですね。これとほぼ同じ内容を，動詞の ing 形を使って表すこともできます。

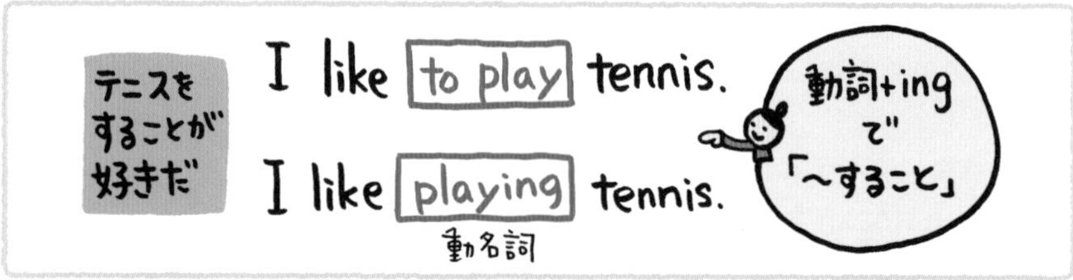

この ing 形は **「～すること」** という意味です。動詞を名詞として使うときの形なので，このような ing 形を「動名詞」といいます。

「～することが好きだ」は like to ～とも like ～ing とも言えますし，「～し始める」は start to ～とも start ～ing とも言えます。でも，〈to ～〉と〈～ing〉はイコールではありません。次のポイントに注意してください。

まず，右の３つの意味のときには ing 形（動名詞）しか使えない，というルールがあります。「～するのを楽しむ」と言うときは，いつも **enjoy ～ing** です。× enjoy to ～とは言えません。

enjoy ～ing ⇨ ～するのを楽しむ
finish ～ing ⇨ ～し終える
stop ～ing ⇨ ～するのをやめる

反対に，「～したい」はいつも **want to ～**です。× want ～ing とは言えません。

「魚を料理することは簡単です。」のように言うときは，動名詞を文の主語にすることもできます。

くわしく　動名詞は，動詞の目的語になったり，文の主語になったりするだけでなく，前置詞のあとでも使われます。（例）I'm good at playing the guitar.（私はギターを弾くのが得意です。）

EXERCISE

答えは別冊11ページ
答え合わせが終わったら，音声に合わせて英文を音読しましょう。

動名詞を使って，英語にしましょう。

1 私たちはおしゃべりするのを楽しみました。

楽しむ：enjoy　おしゃべりする，話す：talk

2 私の父は音楽を聞くのが好きです。

音楽を聞く：listen to music

3 彼女はその物語を読み終えました。

その物語：the story

4 カレーを作ることは簡単です。

カレーを作る：cook curry

［　］から適するほうを選び，（　）に書きましょう。
動名詞を使うか，不定詞を使うかに注意しましょう。

5 私はメールを書き終えました。
I finished (　　　　　) the e-mail.
［writing / to write］

6 彼はあなたに会いたがっています。
He wants (　　　　　) you.　［seeing / to see］

7 彼らはいっしょに楽しく勉強しました。
They enjoyed (　　　　　) together(いっしょに).
［studying / to study］

8 （携帯）電話を見るのをやめなさい！
Stop (　　　　　) at your phone(電話)!
［looking / to look］

LESSON 69 ていねいに希望を伝える言い方

"I'd like (to) ～."

今回は，自分の希望を伝えるときに使える，便利な会話表現を学習します。

「～がほしいです」のように希望を伝える場合，I want ～. と言ってもいいのですが，「～がほしいよ！」のような子どもっぽい言い方に聞こえる場合があります。

I want ～. のかわりに **I'd like ～.** という表現を使うと，「～がほしいのですが」のような，**ていねいで大人っぽい言い方**になります。ていねいに自分の希望を伝えるときには I'd like ～. のほうが好まれます。

I'd は I would の短縮形です。(would は will の過去形で，［ウド］のように発音します。) 話しことばでは，短縮した I'd like ～. の形で使うのがふつうです。

「～したいです」と言うときも，I want to ～. のかわりに **I'd like to ～.** を使うと，「～したいのですが」のようにていねいで大人っぽい言い方になります。(to のあとには動詞の原形がきます。)

くわしく 〈I'd like 人 to ～.〉は「(人) に～してもらいたい」という意味を表します。〈I want 人 to ～.〉〈→ p.256〉のていねいな言い方です。(例) I'd like you to join us. (あなたに私たちの仲間に加わってほしいのですが。)

EXERCISE

答えは別冊11ページ
答え合わせが終わったら，音声に合わせて英文を音読しましょう。

英語にしましょう。I'd likeを使ったていねいな言い方にしてください。

1　ハンバーガーを１つください。

________________, please.

ハンバーガーを１つ：a hamburger

2　お茶を１杯ほしいのですが。

____

１杯の：a cup of　茶：tea

3　いくらかお水がほしいのですが。

____

いくらかの：some　水：water

4　お手洗いに行きたいのですが。

____

お手洗い，洗面所：the bathroom

5　いくつか質問したいのですが。

____

たずねる：ask　いくつかの：some　質問：questions

6　予約したいのですが。

____

予約する：make a reservation

7　この上着を試着したいのですが。

____

～を試着する：try on ～　上着：jacket

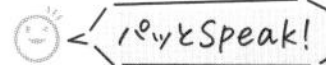

ふきだしの内容を英語で表しましょう。

海外でタクシーに乗りました。地図で行き先を伝えましょう。

ここに行きたいのですが。

____

LESSON 70 相手の希望をたずねる言い方

"Would you like (to) ～?"

今回は，前回学習したwould likeの疑問文を学習します。

「お茶をいかがですか。」のように希望をたずねる場合，Do you want some tea? のかわりにWould you like some tea? と言うと，ていねいで大人っぽい表現になります。

Would you like ～? は，Do you want ～? のていねいな言い方です。「～がほしいですか」「～はいかがですか」の意味で，食べ物や飲み物をすすめるときなどによく使われます。

Would you like to ～? で,「～したいですか」という意味になります。(Do you want to ～? のていねいな言い方です。toのあとには動詞の原形がきます。)

Whatなどの疑問詞を使ってWhat would you like to ～?(何を～したいですか)のように言うこともできます。

学び直し　wouldは助動詞willの過去形です。助動詞の過去形を使うことによって，遠回しで控えめな感じが出るので，ていねいな言い方になります。

EXERCISE

答えは別冊11ページ
答え合わせが終わったら，音声に合わせて英文を音読しましょう。

英語にしましょう。would you likeを使ったていねいな言い方にしてください。

1 私たちといっしょに来たいですか(いらっしゃいませんか)。

2 何かお飲み物はいかがですか。

何か：something

3 (電話で)伝言を残したいですか(メッセージを預かりましょうか)。

残す：leave　伝言：a message　※「今○○は不在ですが，伝言を残したいですか」と言うときに使う。

4 あなたは誕生日に何がほしいですか。

for your birthday?

5 あなたは何を食べたいですか。

食べる：eat

6 あなたはどこへ行きたいですか。

7 あなたはどちらがほしいですか。

どちら：which one

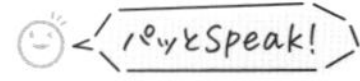

ふきだしの内容を英語で表しましょう。

自信作のサラダをおすすめしましょう。

いくらかサラダはいかがですか。

いくらかの：some　サラダ：salad

復習タイム

CHAPTER 12　不定詞（基礎）・動名詞

答えは別冊12ページ

答え合わせが終わったら，音声に合わせて英文を音読しましょう。

1　次の（　）内から適するものを選び，○で囲みましょう。

1）My sister likes (play / to plays / to play) soccer.

2）We enjoyed (to talk / talking / talked) about the new movie.

3）Why did Ann get up so early?
—(Walk / To walk / Walking) her dog in the park.

4）(Studying / Study / Studies) history is interesting.
歴史（history）　おもしろい（interesting）

2　次の（　）内の語を並べかえて，正しい英文にしましょう。

1）I have a lot (of / do / homework / to).
I have a lot ＿＿＿＿＿＿＿＿＿＿＿＿＿＿＿＿.

2）Amy (something / wants / to) drink.
Amy ＿＿＿＿＿＿＿＿＿＿＿＿＿＿＿＿ drink.

3）(to / London / I'd / like / visit) someday.
いつか（someday）
＿＿＿＿＿＿＿＿＿＿＿＿＿＿＿＿ someday.

4）(you / would / some / like) water?
＿＿＿＿＿＿＿＿＿＿＿＿＿＿＿＿ water?

5）(to / like / come / would / you) with me?
＿＿＿＿＿＿＿＿＿＿＿＿＿＿＿＿ with me?

3 次の日本文を英語にしましょう。

1）彼女は先生になりたがっています。

～になる：be

2）私たちはごみを減らす必要があります。

必要がある：need　減らす：reduce　ごみ：waste

3）もうすぐ雨が降りやみますよ。

--- soon.

will を使いましょう。

4）彼はスキーをするためにカナダを訪れました。

スキーをする：ski（動詞）

5）私にはテレビを見る時間はありません。

6）私は先月，この電話を使い始めました。

電話：phone

7）母は２年前に英語を習い始めました。

習う：learn

Coffee Break

不定詞と動名詞のいろいろな注意点

●something cold to drinkなど

「何か～する（ための）物」は〈something to＋動詞の原形〉で表しますが，somethingに形容詞がつくときは，形容詞はsomethingのすぐあとに来ます。anythingも同じです。

・I want something cold to drink.（何か冷たい飲み物がほしい。）
・I have something important to tell you.（あなたに話す大切なことがあります。）

●不定詞と動名詞で意味が変わることもある

動詞のあとに不定詞がくるか，動名詞がくるかによって意味が変わる場合があります。

・try to ～：～しようと（努力）する
・forget to ～：～するのを忘れる
・remember to ～：忘れずに～する

・try ～ing：試しに～してみる
・forget ～ing：～したことを忘れる
・remember ～ing：～したことを覚えている

LESSON 71

接続詞の that とは？

接続詞thatの使い方／*Conjunction "that"*

今回は，**「〜だと思う」「〜だと知っている」**のような言い方を学習します。

「英語は簡単です。」は，English is easy. ですね。では，「私は，英語は簡単だと思います。」は，どう言うでしょうか。

I think（私は思います）のあとに **that（〜ということ）**を入れて，English is easy を続ければ OK です。

「私は〜だと知っています」と言うときにも，that を使って I know that 〜. と表すことができます。

この that は「あれ」という意味ではありません。I think や I know という〈主語と動詞〉と，その中身を表す別の〈主語と動詞〉（English is easy など）を結びつける働きをしています。このように，2つの部分を結びつける語を接続詞といいます。

that は，会話では**よく省略されます**。省略しても意味は変わりません。

●文法用語　〈主語＋動詞〉を含むまとまりを「節」といいます。I think English is easy. は I think と English is easy の２つの節に分かれます。I think のほうはメインなので「主節」，English is easy はサブなので「従属節」といいます。

EXERCISE

答えは別冊12ページ
答え合わせが終わったら，音声に合わせて英文を音読しましょう。

英文に下線部の情報をつけ加えて書きかえましょう。

（例） English is easy. →**私は**英語は簡単だ**と思います**。
I think that English is easy.

1 This book is interesting. →**私は**この本はおもしろい**と思います**。

2 Emma likes sports. →**私は**エマはスポーツが好きだ**と知っています**。

3 You'll enjoy this movie.
→**私は**あなたはこの映画を楽しめる**と思います**。

英語にしましょう。

4 私は，日本語は難しいと思います。

難しい：difficult

5 （私は）あなたが忙しいことは知っています。

6 私は，ジョーンズさん（Ms. Jones）がイギリス（the U.K.）の出身だと知っています。

～の出身である：be from ～

7 私たちにはもっと多くの時間が必要だと（私は）思います。

必要である：need　もっと多くの時間：more time

LESSON 72 接続詞の when とは？

「時」を表す接続詞／*Conjunction "when"*

今回は，「～のとき…」という言い方について学習します。

「雨が降っていました。」は It was raining. ですね。「私が起きたとき，雨が降っていました。」のように言うときは，**when** を使います。

この when は「いつ？」とたずねる疑問詞ではありません。**「～のとき」** という意味の接続詞で，when のあとには〈主語と動詞〉を続けます。

「私が起きた**とき**」なら **when** I got up となります。

上の文は，When I got up, it was raining. のように，when ～ の部分を先に言うこともできます。

次の英文でも確認しましょう。

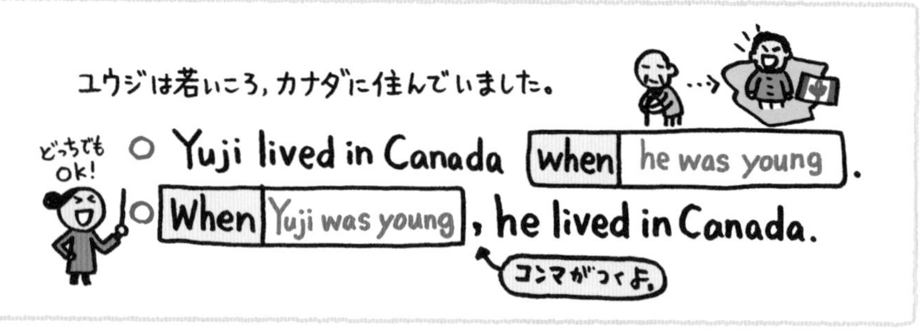

when ～ の部分が前に来るときにはコンマで切ることに注意してください。

くわしく　when のほか，before（～する前に）／ after（～したあとで）／ while（～する間に）も，時を表す接続詞として使われます。（例）Finish your homework before you watch TV.（テレビを見る前に宿題を終わらせなさい。）

EXERCISE

答えは別冊12ページ
答え合わせが終わったら，音声に合わせて英文を音読しましょう。

英語にしましょう。

1 私が起きたとき，雪が降っていました。

It was snowing ________________.

起きる：get up

2 私は若いころ，東京に住んでいました。

I lived in Tokyo ________________.

若い：young

3 彼が私の名前を呼んだとき，私は音楽を聞いていました。

I was listening to music ________________.

呼ぶ：call

4 私が家に帰ったとき，母はテレビを見ていました。

My mother was watching TV ________________.

家に帰る：get home

5 （あなたが）駅に着いたら私に電話してください。

Please call me ________________.

～に着く：get to ～

6 私は子どものころは警察官になりたかった。

____

警察官：a police officer

7 私たちがそこに到着したときは10時を過ぎていました。

____

10時を過ぎて：past ten　到着する：arrive

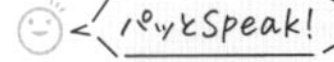

ふきだしの内容を英語で表しましょう。

きのう電話したのに，と言われました。

電話をくれたときは眠ってたんです。

____

____

「あなたが電話したとき」と考えましょう。「眠る」はsleep。

LESSON 73

接続詞 if, because

「条件」「理由」を表す接続詞／*Conjunction "if/because"*

「もし忙しければお手伝いします。」のように言うときは **if** を使います。if は **「もし～ならば」** という意味で，if のあとに「もし」の中身（条件）を言います。

「あなたが遅いので，彼は怒っています。」のように言うときは **because** を使います。because は **「～なので」「～だから」** という意味で，because のあとに「理由」を言います。

because は，Why ～?（なぜ～か）の質問に対して理由を答えるときにも使われます。

文法用語 「～のとき」の when ～や「もし～ならば」の if ～の部分は副詞の働きをしているので副詞節とも呼ばれます。副詞節の中では，未来のことでも現在形で表します。I'll be home if it rains tomorrow.（もし明日雨なら家にいます。）

EXERCISE

答えは別冊12ページ
答え合わせが終わったら，音声に合わせて英文を音読しましょう。

英語にしましょう。

1 あなたが遅いので，ブラウン先生（Mr. Brown）は怒っています。

Mr. Brown is angry ＿＿＿＿＿＿＿＿＿＿.

遅い：late

2 もしあなたがおなかがすいているのなら，私がサンドイッチを作りますよ。

I'll make sandwiches ＿＿＿＿＿＿＿＿＿＿.

空腹の：hungry

3 彼はかぜをひいていたので仕事に行きませんでした。

He didn't go to work ＿＿＿＿＿＿＿＿＿＿.

かぜをひいている：have a cold

4 もし眠いなら寝てもいいですよ。

You can go to bed ＿＿＿＿＿＿＿＿＿＿.

眠い：sleepy

5 もしあなたにお時間があれば，私といっしょに来てください。

＿＿＿＿＿＿＿＿＿＿, please come with me.

時間がある：have time

6 私はテレビを見たかったので家に帰りました。

＿＿＿＿＿＿＿＿＿＿

家に帰る：go home

パッとSpeak! ふきだしの内容を英語で表しましょう。

自己紹介の最後に質問を受け付けましょう。

何か質問があれば聞いてください。

＿＿＿＿＿＿＿＿＿＿

＿＿＿＿＿＿＿＿＿＿

何か：any　質問：questions　私に聞く：ask me

復習タイム

→答えは別冊12ページ

答え合わせが終わったら，音声に合わせて英文を音読しましょう。

CHAPTER 13 **接続詞**

1 次の（　）内から適するものを選び，○で囲みましょう。

1）(When / Because / If) I got up, it was raining.

2）Why were you absent from school yesterday?
— (When / Because / To) I had a fever.

（absent：欠席して　fever：（病気の）熱）

3）He'll pass the exam (that / if / so) he studies hard.

（pass：合格する）

4）I'm sleepy (because / when / that) I went to bed at two last night.

（sleepy：眠い）

2 次の（　）内の語句を並べかえて，英文を完成しましょう。

1）私は，数学はおもしろいと思います。(math / that / interesting / think / is)
I ＿＿＿＿＿＿＿＿＿＿＿＿＿＿＿＿.

数学：math　おもしろい：interesting

2）もしひまなら，私を手伝ってください。(are / help / you / me / if / free)
Please ＿＿＿＿＿＿＿＿＿＿＿＿＿＿＿＿.

ひまな：free

3）彼女は彼が先生だと知っています。(he / knows / a teacher / is)
She ＿＿＿＿＿＿＿＿＿＿＿＿＿＿＿＿.

4）彼は若いころはやせていました。(when / young / thin / was / he)
He was ＿＿＿＿＿＿＿＿＿＿＿＿＿＿＿＿.

やせた：thin

5）私が家に着いたとき，父は夕食を作っていました。
(when / cooking / I / was / dinner / home / got)
My father ＿＿＿＿＿＿＿＿＿＿＿＿＿＿＿＿.

6）日本語は難しいと思いますか。(is / Japanese / you / difficult / do / think)
＿＿＿＿＿＿＿＿＿＿＿＿＿＿＿＿

3 次の日本文を英語にしましょう。

1）今行けば，あなたはそのバスに間に合いますよ。

You'll ____.

そのバスに間に合う：catch the bus

2）彼は忙しいので，パーティーに来られません。

He ____.

3）私は，彼女はパーティーに来ると思いますよ。

____

4）私は，彼は正しいと思います。

____

正しい：right

5）私は子どものころは歌手になりたかった。

____

歌手：a singer

6）私は，あなたにはやるべき仕事がたくさんあると知っています。

____

仕事：work

Coffee Break

「～と思いました」という文

「私は～だと思いました」「私は～だと知っていました」と過去のことについて言うときには，動詞の形に注意が必要です。thatのあとに続く文の動詞も原則として過去形にします。

・I thought that my mother was tired. （私は母は疲れていると思いました。）
・I knew that Emma liked dogs. （私はエマが犬が好きだと知っていました。）
・He said that he was happy. （彼は幸せだと言いました。）

thatに続く文に助動詞がある場合は，助動詞を過去形にします。

・I knew that she could swim fast. （私は彼女が速く泳げると知っていました。）
└canの過去形

LESSON 74「〜があります」

"There is/are 〜."

ここからは，**「…に〜があります[います]」**という言い方について学習します。

「机が（1つ）あります。」のように「〜がある［いる］」と言うときは，**There is**で文を始めます。机（a desk）はThere isのあとにきます。

（このThereには特に意味はなく，There isのあとにくる物や人が文の主語になります。）

「部屋に机が（1つ）あります。」のように，「どこどこに」と場所を表す語句は，文のうしろにつけます。

単数の場合はThere isを使いますが，**複数の場合はThere are**を使います。

「〜がありました［いました］」のように過去のことを表すときは，be動詞を過去形のwas，wereに変えるだけです。

There was 〜.
There were 〜.
過去の文はwas, wereを使う

否定文はbe動詞（is，are，was，were）のあとにnotを入れます。

くわしく　ふつうThere isのあとには，theやmyがついた名詞はきません。There isはその時点で相手が知らないものに使います。「あなたのかばんは机の上にあります。」は，There isを使わずにYour bag is on the desk. と言います。

EXERCISE

答えは別冊12ページ
答え合わせが終わったら，音声に合わせて英文を音読しましょう。

英語にしましょう。

1 壁に1枚の絵がかかっています。

絵：a picture　壁に：on the wall

2 箱の中にはたくさんの本が入っています。

たくさんの：a lot of ～

3 この近くに病院はありません。

病院：a hospital　この近くに：near here

4 コップの中にミルクがいくらか入っています。

いくらかのミルク：some milk　コップ：the glass

5 京都にはたくさんの神社があります。

たくさんの：a lot of ～　神社：shrine

6 昨夜，地震がありました。

地震：an earthquake

7 今週末，東京でセミナーがあります。

_____________ this weekend.

セミナー：a seminar

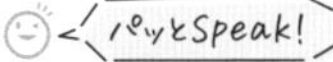

ふきだしの内容を英語で表しましょう。

新しい友達に，自分の家族のことを紹介しましょう。

うちは6人家族です。

「私の家族には6人の人がいます。」と考えましょう。

LESSON 75 「～がありますか」

There is/are ～.の疑問文と答え方／ *"Is/Are there ～?" Questions*

「…に～がありますか[いますか]」とたずねるときは，be 動詞の疑問文と同じように be 動詞で文を始めて，**Is there ～?** や **Are there ～?** の形にします。

複数の Are there ～? には **any** がよく使われます。any は疑問文では「１つでも，少しでも」という意味になります。

Is there ～? や Are there ～? の疑問文には，Yes（はい）か No（いいえ）のあとに，there を使って答えます。

過去の疑問文は，Was there ～? や Were there ～? の形にします。「…に～がありましたか［いましたか］」という意味になります。答えの文は，Yes, there was[were]. か No, there wasn't[weren't]. です。

くわしく How many ～ are there …? で，「…にはいくつの～がありますか。」「…には何人の～がいますか。」とたずねることができます。（例）How many students are there in your school?（あなたの学校には何人の生徒がいますか。）

EXERCISE

答えは別冊13ページ
答え合わせが終わったら，音声に合わせて英文を音読しましょう。

疑問文に書きかえましょう。

1 There is a bag under the table.
→テーブルの下にかばんはありますか。

2 There is a bank near the station.
→駅の近くに銀行はありますか。

bank：銀行

（　　）内の語を使って，英語にしましょう。そのあとで，その質問に ①はい と ②いいえ の両方で答えましょう。

（例） この近くに郵便局はありますか。（is）
Is there a post office near here?
→ ① Yes, there is.　② No, there isn't.

3 ホテルの近くにレストランはありますか。 （is）

レストラン：a restaurant　ホテル：the hotel

→ ①　②

4 そこには人がいっぱいいましたか。 （many）

人：people

→ ①　②

5 壁には何か絵がかかっていますか。 （any）

絵：picture　壁に：on the wall

→ ①　②

LESSON 76 「～になる」「～に見える」など

become，lookなどを使う文（SVC）／ *"look" & "become" as Linking Verbs*

今回は，「～になる」「～に見える」などの言い方を学習します。

「～になる」と言うときは，**become**という動詞を使います。becomeのあとにa singer（歌手）やfamous（有名な）などを続けると，「歌手になる」「有名になる」などと言うことができます。（becomeの過去形はbecameです。）

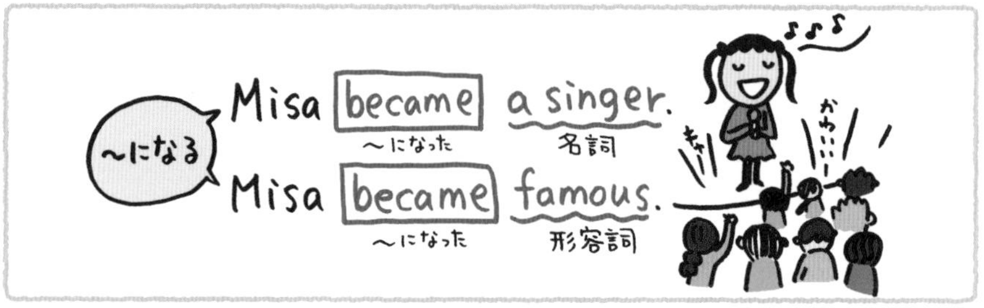

（ちなみに「～になりたい」と言うときは，becomeのかわりにbeを使ってwant to be ～で表すことが多いです。〈→ p.172〉）

look atは，「～を見る」という意味でしたね。**「何か［だれか］が～に見える」**と言うときも**look**を使います。（この場合はatは使いません。）lookのあとにhappy（幸せな，うれしい）やtired（疲れた）などの形容詞を続けると，「うれしそうに見える」「疲れているように見える」などと言うことができます。

動詞**sound**は**「～に聞こえる」**，**get**は**「（ある状態）になる」**という意味で，どちらもあとに形容詞を続けます。

It sounds easy. それは簡単そう。

She got angry. 彼女は怒った。

● 文法用語　このページのbecomeやlookの文は，be動詞と同じSVCの文〈→ p.206〉で，〈主語＝補語〉の関係です。ちなみに名詞を使って「（名詞）のように見える」と言うときは，前置詞like（～のように）を入れてlook like ～で表します。

EXERCISE

答えは別冊13ページ
答え合わせが終わったら，音声に合わせて英文を音読しましょう。

適する動詞を選び，必要があれば適する形に変えて（　　）に書きましょう。

look	sound	get

1 （聞いたことに対して）それは難しそうですね。
That（　　　　　）hard.

2 ジョーンズ先生は怒りました。
Mr. Jones（　　　　　）angry.
怒った

3 彼女のお母さんはとても若く見えます。
Her mother（　　　　　）very young.

英語にしましょう。

4 ティナ（Tina）はうれしそうに見えます。

うれしい：happy

5 そのバンドは有名になりました。

そのバンド：the band　有名な：famous

6 （聞いたことに対して）それはおもしろそうですね。
That ＿＿＿＿＿＿＿＿＿＿ .
「おもしろそうに聞こえる」と考えましょう。　おもしろい：interesting

7 エイミー（Amy）は医師になりました。

医師：a doctor

8 あなたは顔色が悪いように見えます。

顔色が悪い：pale

LESSON 77

「〜をあげる」「〜を見せる」など

give，showなどを使う文（SVOO）／ *"give/show/tell someone something"*

今回は，「(人)に〜をあげる」や「(人)に〜を見せる」などの言い方について学習します。

「彼にプレゼントをあげる」のように，**「(人)に〜をあげる」**と言うときは，**give**を使います。giveのあとに,「(だれ)に」→「(何)を」を続けて言えばOKです。

「私にあなたの犬を見せてください。」のように，**「(人)に〜を見せる」**と言うときは，**show**を使います。showのあとに，「(だれ)に」→「(何)を」を続けます。

「(人)に〜を話す[伝える]」は**tell**,「(人)に〜を送る」は**send**を使います。あとには「(だれ) に」→「(何) を」を続けます。

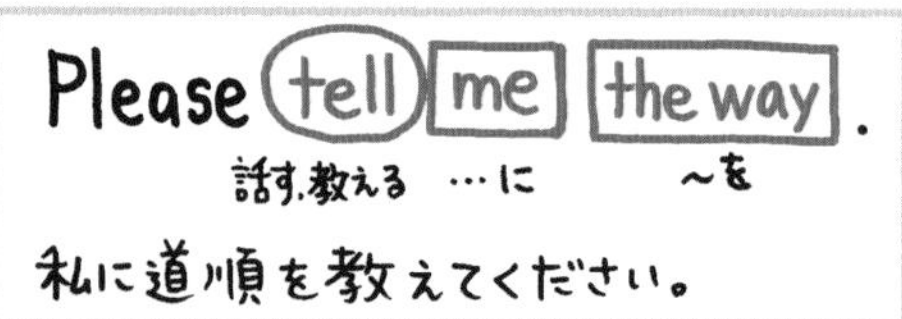

give，show，tell，sendのあとは，「(だれ)に」→「(何)を」の順序です。「(だれ)に」にはme（私に），you（あなたに），him（彼に），her（彼女に）などの代名詞の目的格〈→ p.100〉がよく使われます。

● 文法用語　〈give/show/tell/send ＋「〜に」＋「〜を」〉の文は，目的語（O）が2つあるのでSVOOの文と呼ばれます〈→ p.206〉。「〜に」にあたる目的語を「間接目的語」，「〜を」にあたる目的語を「直接目的語」といいます。

EXERCISE

答えは別冊13ページ
答え合わせが終わったら，音声に合わせて英文を音読しましょう。

（　）内の語句を並べかえて，英文を完成しましょう。

1 あなたにこの本をあげましょう。（this book / give / you）
I'll ＿＿＿＿＿＿＿＿＿＿.

2 私に駅へ行く道を教えてください。（tell / the way / me）
Please ＿＿＿＿＿＿＿＿＿＿ to the station.
（～へ行く）道：way

3 エマは私たちに何枚か写真を見せてくれました。
（us / some pictures / showed）
Emma ＿＿＿＿＿＿＿＿＿＿.

4 父は私に腕時計をくれました。（gave / a watch / me）
My father ＿＿＿＿＿＿＿＿＿＿.

5 あなたのノートを私に見せてください。
（your notebook / show / me）
Please ＿＿＿＿＿＿＿＿＿＿.

6 あなたの住所を教えていただけますか。
（me / tell / your address）
Could you ＿＿＿＿＿＿＿＿＿＿?

7 私は彼女に本当のことを話しませんでした。（the truth / her / tell）
I didn't ＿＿＿＿＿＿＿＿＿＿.
本当のこと，真実：the truth

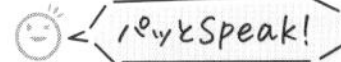

ふきだしの内容を英語で表しましょう。

いっしょに撮った写真を友達に送りましょう。

写真，送るね。

＿＿＿＿＿＿＿＿＿＿

「あなたに写真（the picture）を送ります。」と考えましょう。

LESSON 78 「AをBと呼ぶ」「AをBにする」

call, name, makeの文型（SVOC）／"call/name/make A B" (A=B)

今回は,「AをBと呼ぶ」や「AをBにする」などの言い方について学習します。

「私たちは彼を大ちゃんと呼びます。」のように **「Aを Bと呼ぶ」** と言うときには，call を使って **〈call A B〉** と言えば OK です。このA→Bの語順が大切です。

また，同じように **「AをBと名づける」** は，**〈name A B〉** で表すことができます。（この name は「名づける」という意味の動詞です。）

「この歌は私を幸せにします。」のように **「AをBにする」** と言うときには，make を使って **〈make A B〉** と言います。やはり，このA→Bの語順がポイントです。

文法用語 〈call/name/make A B〉の文は,〈主語＋動詞＋目的語＋補語〉という構造なのでSVOCの文〈→ p.206〉と呼ばれます。この補語は，目的語とイコールの関係（A＝Bの関係）になっています。

EXERCISE 答えは別冊13ページ
答え合わせが終わったら，音声に合わせて英文を音読しましょう。

英語にしましょう。

1 私たちは彼をヒロ（Hiro）と呼びます。

2 私たちはその犬をマックス（Max）と名づけました。

その犬：the dog

3 彼女のことばは私をうれしくさせました。

ことば：words　うれしい：happy

4 その知らせは彼を悲しくさせました。

その知らせ：the news　悲しい：sad

5 この映画は彼女を有名にしました。

映画：movie　有名な：famous

6 彼の笑顔は私を幸せにします。

笑顔：smile　幸せな：happy

7 アンディー（Andy）は彼女を怒らせてしまいました。

怒った：angry

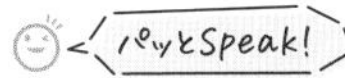

ふきだしの内容を英語で表しましょう。

初対面の相手に自己紹介をしています。

私のことはアキ（Aki）と
呼んでください。

LESSON 79 tell me that ～などの文

tell/show 人 that ～/ "tell/show someone that ～"

〈tell A B〉は「AにBを伝える［教える，話す］」，〈show A B〉は「AにBを見せる」という意味でしたね。

今回は，これの少し複雑なパターンを学習します。**〈tell A that 主語＋動詞～〉**の形で，「Aに主語＋動詞～だと伝える」という意味になります。このthatは接続詞で，省略されることがあります。

また，同じように**〈show A that 主語＋動詞～〉**の形で，「Aに主語＋動詞～だと示す」という意味になります。

tellやshowが過去形のときは，あとの〈主語＋動詞 ～〉の動詞もふつう過去形にします。

● くわしく　このページのtellとshowの文は，p.198で学習したSVOOの文の発展形で，うしろのO（直接目的語）がthat節（名詞節）になっている文型です。teach（教える）も同じ文型をつくることがあります。

EXERCISE

→答えは別冊13ページ
答え合わせが終わったら，音声に合わせて英文を音読しましょう。

英語にしましょう。(　　) 内の動詞を使ってください。

1　彼は私に，疲れていると言いました。(tell)

(彼は) 疲れている：he was tired

2　私は彼女に，その本はおもしろいと言いました。(tell)

その本はおもしろい：the book was interesting

3　私の母はよく私に，もっと勉強すべきだと言います。(tell)

よく：often　(私は) もっと勉強すべきだ：I should study harder

4　私の祖父母はいつも私に，いい子だと言ってくれました。(tell)

いつも：always　祖父母：grandparents　(私は) いい子だ：I was a good kid

5　ミラー先生(Mr. Miller)は私たちに，もっと本を読むべきだと言いました。(tell)

(私たちは) もっと本を読むべきだ：we should read more books

6　この映画は私たちに，お互い助け合わなければならないと示しています。(show)

(私たちは) お互い助け合わなければならない：we must help each other

復習タイム

答えは別冊13ページ

答え合わせが終わったら，音声に合わせて英文を音読しましょう。

CHAPTER 14　いろいろな文型

1 次の（　　）内から適するものを選び，○で囲みましょう。

1）There (has / is / are) a post office near the station.

2）There (is / are / have) about thirty students in my class.

3）This book（ was / became / made) him famous.

4）Please give (I / my / me) some advice.（advice：アドバイス）

5）His name is Junichiro. We call (he / his / him) Jun.

6）Let's go to the zoo. — That（ sees / hears / sounds ）good.

7）Andy said, "I can't walk anymore." He（ saw / looked / watched ）tired.（anymore：もうこれ以上）

2 次の（　　）内の語句を並べかえて，英文を完成しましょう。

1）あそこに何匹か犬がいます。　（ some / there / over / dogs / are ）

-- there.

2）私に彼の名前を教えてもらえますか。（ tell / you / name / can / his / me ）

3）そのニュースは私たちをうれしくさせました。
（ us / the news / made / happy ）

4）彼女は私に，私がまちがっていると言いました。
（ I / told / was / she / that / wrong / me ）

----

3 次の日本文を英語にしましょう。

1）そのニュースを聞いて彼らは幸せになりました。

「そのニュースは彼らを幸せにした」と考えましょう。　そのニュース：the news

2）私にそのリンクを送ってもらえる？

そのリンク：the link

3）私にその動画を見せてもらえる？

その動画：the video

4）私に地下鉄の駅までの道順を教えていただけますか。

道順：the way　地下鉄の駅：the subway station

5）政府は彼らにたくさんのお金を与えました。

政府：the government

6）私の祖母は私たちにたくさんのおもしろい話をしてくれました。

おもしろい：interesting

Coffee Break

「(人) に (物) をあげる」の２つの言い方

「私はあなたにこの本をあげます。」は，次の２つの言い方で表すことができます。

(a) I'll give you this book.

(b) I'll give this book **to** you.

「あなたには（なんと）この本をあげます。」のように「この本を」ということに重みがある場合には(a)が使われ，「この本は（ほかでもない）あなたにあげます。」のように「あなたに」ということに重みがある場合には(b)が使われます。

基礎ができたら，もっとくわしく。

英語の「5文型」を知ろう

Sentence Patterns

中学校・高校などでは，英語の文型を次の5つのパターンに分類して説明することがあります。

名前	構造	例
第1文型	SV 主語＋動詞	She sings very well. S V 修飾語句
第2文型	SVC 主語＋動詞＋補語	I am busy. S V C
第3文型	SVO 主語＋動詞＋目的語	I play tennis. S V O
第4文型	SVOO 主語＋動詞＋目的語＋目的語	He gave me a book. S V O O
第5文型	SVOC 主語＋動詞＋目的語＋補語	We call him Ken. S V O C

〈略号〉S…主語（subject） V…動詞（verb） O…目的語（object） C…補語（complement）

● SV（第1文型）

主語（「～は」「～が」にあたる語）と動詞でできている文です。動詞のあとに修飾語句（副詞や，前置詞で始まる句など）がついている場合もあります。

She sings very well.（彼女はとてもじょうずに歌います。）
S V 修飾語句
I walk every morning.（私は毎朝歩きます。）
S V 修飾語句

この文型で使われる動詞には,「～を」にあたる目的語がありません。sing（歌う）や walk（歩く）などの動詞は目的語がなくても文が成り立ちます。

このように目的語をとらない動詞を「自動詞」といいます。

● SVC（第2文型）

主語と動詞と補語（主語を説明する名詞か形容詞）でできている文です。「主語＝補語」の関係になっています。

I am busy.（私は忙しいです。）〈I = busy〉
S V C
She became a doctor.（彼女は医師になりました。）〈she = a doctor〉
S V C
He looked happy.（彼は幸せそうに見えました。）〈he = happy〉
S V C

be 動詞の文はこの文型です。be 動詞と，become（〜になる），look（〜に見える）などのいくつかの動詞だけがこの文型をつくります。〈→ p.196〉

● SVO（第 3 文型）

主語と動詞と目的語（「〜を」にあたる語）でできている文です。

I play tennis.（私はテニスをします。）
S V O
She likes music.（彼女は音楽を好みます→音楽が好きです。）
S V O

play や like などの動詞には，「〜を」にあたる目的語が必要です。目的語を必要とする動詞を「他動詞」といいます。一般動詞の多くはこの文型をつくります。

● SVOO（第 4 文型）

「(人）に（物）をあげる」などと言うときの文型で，目的語が 2 つあります。

He gave me a book.（彼は私に本をくれました。）
S V O O
I showed her my notebook.（私は彼女に私のノートを見せました。）
S V O O

1 つ目の目的語を「間接目的語」, 2 つ目の目的語を「直接目的語」といいます。give（与える），tell（伝える，教える），show（見せる），teach（教える）などのいくつかの動詞だけがこの文型をつくります。〈→ p.198〉

● SVOC（第 5 文型）

「…を〜と呼ぶ」「…を〜にする」などと言うときの文型です。「目的語＝補語」の関係になっています。

We call him Ken.（私たちは彼をケンと呼びます。）〈him = Ken〉
S V O C
The news made me happy.（そのニュースは私を幸せにしました。）〈me = happy〉
S V O C

call（呼ぶ），make（…を〜にする），name（名づける）などのいくつかの動詞だけがこの文型をつくります。〈→ p.200〉

LESSON 80
「比較級」とは？

比較級の文／*What is "Comparative"?*

ここからは，人や物を比べるときのいろいろな言い方を学習します。

英語では「背が高い」は tall，「速く」は fast ですが，何かと比べて「〜よりももっと背が高い」や「〜よりももっと速く」などと言うときには，これらの語（形容詞と副詞）の形を変える必要があります。

「もっと〜」と言うときは，語尾に er をつけた形を使います。この形を「比較級」といいます。

tall → taller　　fast → faster
背が高い　もっと背が高い　　速く　もっと速く

「健よりも背が高い」「美佐よりも速く走る」などの **「〜よりも」は than**（〜よりも）で表します。

比較級のすぐあとに than 〜を続ければ，比較する文のできあがりです。

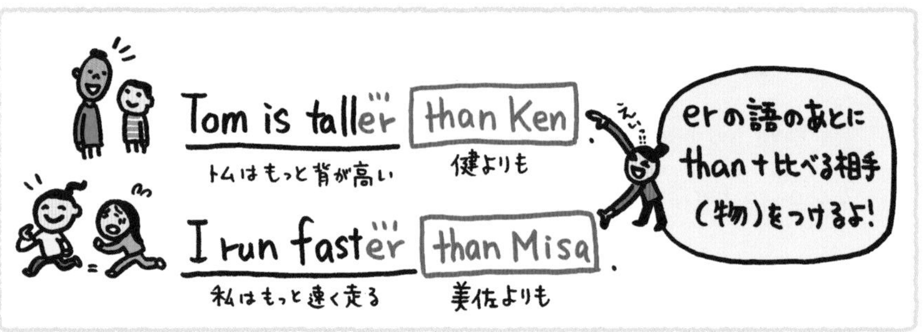

「AとBのどちらがより〜ですか」とたずねるときは，「どちら」という意味の疑問詞 Which で文を始めて，最後に A or B? をつけ加えれば OK です。

英会話　Which is 〜, A or B? のイントネーションは，or の前が上げ調子，最後が下げ調子になります。
（例）Which is cheaper（↘），this one（↗）or that one（↘）?（これとあれではどちらが安いですか。）

EXERCISE

答えは別冊13ページ
答え合わせが終わったら，音声に合わせて英文を音読しましょう。

[ ] 内の語を適する形に変えて（ ）に書きましょう。

1 ベンは父親よりも背が高い。 〔tall〕
Ben is (　　　　　) than his father.

2 このバッグは私のよりも小さい。 〔small〕
This bag is (　　　　　) than mine.
私のもの

3 トラとライオンは，どちらが強いですか。 〔strong〕
Which is (　　　　　), a tiger or a lion?
トラ ライオン

英語にしましょう。

4 ミラー先生（Ms. Miller）は私の母よりも年上です。
__________ than my mother.
年上の：old

5 ３月は２月よりも長い。
March is __________.
2月：February

6 日本はイギリスよりも大きい。
____
大きい：large（比較級は larger） イギリス：the U.K.

7 アリス（Alice）はジム（Jim）よりも速く走ります。
____
速く：fast

パッとSpeak! ふきだしの内容を英語で表しましょう。

すごくほしいけど，サイズが大きすぎます。
もっと小さいのありますか？
____
____
「〜なもの」を表す a 〜 one を使いましょう。

CHAPTER 15 比較

LESSON 81

「最上級」とは？

最上級の文／*What is "Superlative"?*

今回は，３つ以上を比べて「いちばん～」という言い方を学習します。

「いちばん～」と言うときは，語尾に est をつけた形を使います。この形を「最上級」といいます。最上級にはふつう the をつけます。

tall → tallest	fast → fastest
背が高い　いちばん背が高い	速く　いちばん速く

「3人の中でいちばん背が高い」「クラスの中でいちばん速く走る」などは，最上級のあとに，**「～の中で」を表す of ～や in ～**を続ければ OK です。

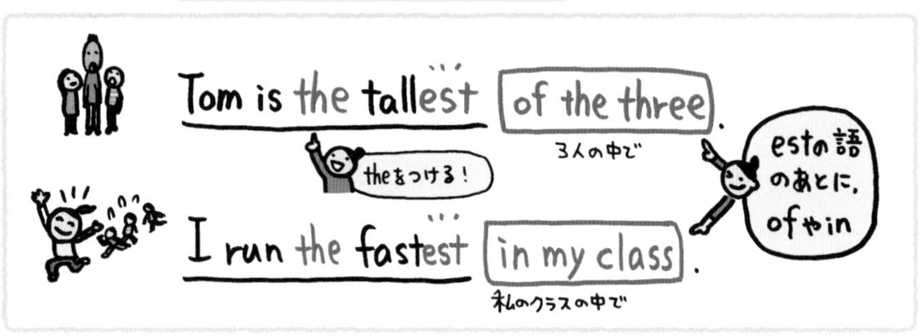

「～の中で」は，複数を表す語句なら of を使い，場所や範囲・グループのときは in を使います。

of＋複数を表す語句		in＋場所や範囲を表す語句	
of the five	5つ(5人)の中で	in Japan	日本(の中)で
of all	すべて(みんな)の中で	in my family	家族(の中)で

最上級を使って,「どれ［何］がいちばん～ですか」とたずねるときは，Which や What で文を始めます。

Which animal is the strongest?
どの動物がいちばん強いですか。

くわしく　Tom is the tallest person. のように，形容詞の最上級のあとに名詞がくることもあります。最上級に the をつけるのは，この person などが省略されているためだと考えましょう。副詞の最上級には the はつけてもつけなくてもかまいません。

EXERCISE

答えは別冊13ページ
答え合わせが終わったら，音声に合わせて英文を音読しましょう。

［　］内の語を適する形に変えて（　）に書きましょう。

1 ベン（Ben）は家族の中でいちばん背が高い。〔tall〕
Ben is the (　　　　　) in his family.
家族

2 このバッグは全部の中でいちばん小さい。〔small〕
This bag is the (　　　　　) of all.

3 いちばん強い動物は何ですか。〔strong〕
What's the (　　　　　) animal?

英語にしましょう。

4 これはこの町でいちばん古い建物です。
__________ in this town.
建物：building　町：town

5 彼は４人の中でいちばん年下です。
He is the youngest __________ .

6 ロシアは世界でいちばん大きい国です。
____
ロシア：Russia　大きい：large（最上級は largest）　国：country

7 彼女は彼女のクラスでいちばん速く走りました。
____
走った：ran（run の過去形）

8 世界でいちばん高い山は何ですか。
What's __________ ?
高い：high　山：mountain

LESSON 82

まちがえやすい比較変化

比較級・最上級の変化に注意するもの／*Spellings of Comparatives & Superlatives*

比較級には er をつけ，最上級には est をつけるのでしたね。

long 長い

longer もっと長い

longest いちばん長い

ふつうは語尾にそのまま er や est をつけますが，そうでないものもあります。

- large（大きい）のように e で終わる語には，**r，st だけ**をつけます。

①r，st だけ

large 大きい － larger － largest

- busy（忙しい），easy（簡単な），happy（幸せな）は，最後の **y を i に変えて** er，est をつけます。

② y を i に変えて er，est

busy 忙しい － busier － busiest

easy やさしい － easier － easiest

- big（大きい）などは，**最後の 1 文字を重ねて** er，est をつけます。

③最後の 1 文字を重ねて er，est

big 大きい － bigger － biggest

hot 暑い － hotter － hottest

～er，～est ではなく，不規則な形に変化するものもあります。

くわしく　y を i に変えるのは〈a, i, u, e, o 以外の文字＋ y〉で終わる語です。また，bad（悪い）－ worse － worst や，little（少ない）－ less － least も不規則に変化します。

EXERCISE

答えは別冊14ページ
答え合わせが終わったら，音声に合わせて英文を音読しましょう。

比較級と最上級を，それぞれ書きましょう。

		比較級	最上級
1	hot（暑い）	— (　　　)	— (　　　)
2	easy（簡単な）	— (　　　)	— (　　　)
3	large（大きい）	— (　　　)	— (　　　)
4	good（よい）	— (　　　)	— (　　　)
5	many（多くの）	— (　　　)	— (　　　)

英語にしましょう。

6 私の犬はあなたのよりも大きい。

大きい：big　あなたのもの：yours

7 エミリー（Emily）は私のいちばん仲のよい友達です。

仲のよい友達：good friend

8 ミラー先生（Ms. Miller）は私たちの学校でいちばん忙しい先生です。

our school.

忙しい先生：busy teacher

9 中国（China）とカナダ（Canada）では，どちらのほうが広いですか。

広い：large

10 今日は私の人生でいちばん幸せな日です。

私の人生で：of my life

LESSON 83

more, most を使う比較

more・mostを使う比較級・最上級／*"more/most" Forms*

比較級・最上級には，実はもう１つのパターンがあります。

popular（人気のある）には **erやestはつけません**。popularの比較級は **more** popular，最上級は **most** popularです。×popularerや×popularestはまちがいです。

erやestをつけない語は，popularのほかにもあります。まずは次の10語を覚えておきましょう。単語自体は変化させずにmore（比較級）かmost（最上級）をつけるだけでOKです。×difficulterなどの形に変化させてはいけません。

more, mostをつける語　この10語をおぼえよう!

popular	人気のある	useful	役に立つ
famous	有名な	beautiful	美しい
difficult	難しい	expensive	高価な
important	重要な	slowly	ゆっくりと
interesting	おもしろい	quickly	すばやく

ここで１つ注意点です。前回までに学習した**ふつうの単語には，moreやmostをつけてはいけません。**

ふつうの単語は〜er，〜estの形に変化することを忘れないでください。

くわしく　more・mostをつける語の目安は，３音節以上の長い語のほか，-ful，-ous，-ingなどで終わる語です。careful（注意深い），nervous（緊張している），exciting（わくわくさせる）などがあります。

EXERCISE

答えは別冊14ページ
答え合わせが終わったら，音声に合わせて英文を音読しましょう。

（　　）内の語を使って英語にしましょう。

1 この本はあの本よりも難しい。（difficult）
This book is ＿＿＿＿＿＿＿＿ than that one.

2 私たちの学校でいちばん人気があるスポーツはテニスです。（popular）
＿＿＿＿＿＿＿＿ sport in our school is tennis.

3 この映画は3つの中でいちばんおもしろかった。（interesting）
This movie was the ＿＿＿＿＿＿＿＿ of the three.

英語にしましょう。

4 この写真はあの写真よりも美しい。

＿＿＿＿＿＿＿＿

写真：picture　美しい：beautiful

5 彼女は，日本でいちばん有名な歌手です。

＿＿＿＿＿＿＿＿

有名な：famous

6 私は，国語がいちばん重要な教科だと思います。

＿＿＿＿＿＿＿＿

私は～だと思う：I think（that）～　国語：Japanese　重要な教科：important subject

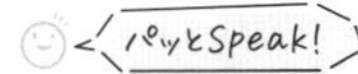

ふきだしの内容を英語で表しましょう。

相手が早口で聞き取れません。

もっとゆっくり話して
いただけますか。

＿＿＿＿＿＿＿＿

Could you ～？を使いましょう。

LESSON 84
as を使う比較

"as ～ as …"/"not as ～ as …"

「…よりももっと～」は比較級を，「…の中でいちばん～」は最上級を使うのでしたね。では「…と同じくらい～」と言うときはどうするのでしょうか。

何かが，ほかの何かと**「同じくらい～だ」と言いたいときは，as ～ as …**の形を使います。

bigやfastなどの単語（形容詞と副詞）の形は変化させません。

as big as ～　～と同じくらい大きい
as fast as ～　～と同じくらい速く

たとえば自分の犬の大きさについて，何かと「同じくらい大きい，同じくらいの大きさだ」と言いたいときには，as big asのあとに比べる相手を続ければOKです。

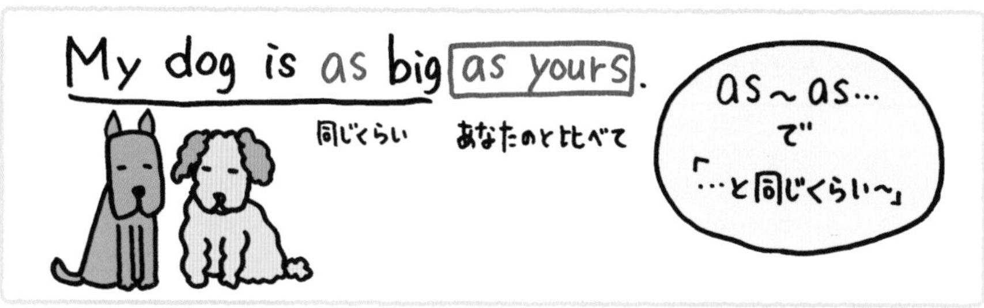

as ～ as …の否定文はnot as ～ as …です。これは**「…ほど～ではない」**という意味になります。

たとえばnot as tall as …なら「…ほど背が高くはない」という意味になります。

上の文は，「私は久美よりも背が低い。」ということを表しています。

くわしく　as ～ as …の１つ目のasは「同じ程度に」の意味の副詞，２つ目のasは「…と比べて」の意味の接続詞です。「何倍か」を表すこともでき，A is <u>three times</u> as large as B.で「AはBの３倍の大きさです。」の意味になります。

EXERCISE 答えは別冊14ページ
答え合わせが終わったら，音声に合わせて英文を音読しましょう。

（　）内の語を使って英語にしましょう。

1 私はアリス（Alice）と同じくらい速く走れます。（fast）

I can run ＿＿＿＿＿＿＿＿ Alice.

2 私の姉は母と同じくらいの身長です。（tall）

My sister is ＿＿＿＿＿＿＿＿ my mother.

3 私のコンピューターはあなたのほど速くありません。（fast）

My computer isn't ＿＿＿＿＿＿＿＿ yours.

あなたのもの

英語にしましょう。

4 私は兄と同じくらい忙しいです。

＿＿＿＿＿＿＿＿ my brother.

5 私のかばんはあなたのと同じくらいの大きさです。

＿＿＿＿＿＿＿＿

あなたのもの：yours

6 エマ（Emma）はメグ（Meg）と同じくらいじょうずに泳げます。

＿＿＿＿＿＿＿＿

泳げる：can swim　じょうずに：well

7 この本はあの本ほどおもしろくありません。

＿＿＿＿＿＿＿＿

おもしろい：interesting

8 この時計はあなたのほど高くありません。

＿＿＿＿＿＿＿＿

時計：watch　高い：expensive

9 このお店はいつもほどは混んでいません。

This store ＿＿＿＿＿＿＿＿ .

混んでいる：crowded　いつもほど：as usual

比較の文の整理

比較級/最上級/as～as…／ *Comparative & Superlative (Review)*

いろいろな比較の文をもう一度確認しましょう。

比較級は er，最上級は est をつけるのが基本です。

ただし popular，difficult，interesting などは，単語の形自体は変化させずに，前に **more，most** をつけたものが比較級・最上級です。

good － better － best のように不規則に変化するものもあります。

形容詞・副詞	比較級（もっと～）	最上級（いちばん～）
□ long（長い）	longer	longest
□ large（大きい）	larger	largest
□ easy（簡単な）	easier	easiest
□ big（大きい）	bigger	biggest
□ popular（人気のある）	more popular	most popular
□ good（よい） □ well（じょうずに）	better	best

比較の文の形は，次のようになります。

…よりも～ 〈比較級＋ than …〉	A is **longer than** B. （AはBよりも長い。） A is **more** interesting **than** B. （AはBよりもおもしろい。）
…でいちばん～ 〈the ＋最上級＋ of[in] …〉	A is **the longest of** all. （Aはすべての中でいちばん長い。） A is **the most** interesting **of** all. （Aはすべての中でいちばんおもしろい。）
…と同じくらい～ 〈as ＋形容詞・副詞＋ as …〉	A is **as** big **as** B. （AはBと同じくらい大きい。）
…ほど～ではない 〈not as ＋形容詞・副詞＋ as …〉	A is **not as** big **as** B. （AはBほど大きくはない。）

くわしく　〈比較級＋ than any other ＋単数名詞〉で「ほかのどの…よりも～」という意味を表します。（例）Mt. Fuji is higher than any other mountain in Japan.（富士山は，日本のほかのどの山よりも高い。）

EXERCISE

答えは別冊14ページ
答え合わせが終わったら，音声に合わせて英文を音読しましょう。

英文に下線部の情報をつけ加えて書きかえましょう。

1 Your bag is big.（あなたのかばんは**私のよりも**大きい。）

Your bag is ＿＿＿＿＿＿＿＿＿＿.

私の（もの）：mine

2 The Nile is a long river.
（ナイル川は**世界でいちばん**長い川です。）

The Nile is ＿＿＿＿＿＿＿＿＿＿.

ナイル川

3 My camera is good.（私のカメラは**このカメラよりも**よい。）

My camera is ＿＿＿＿＿＿＿＿＿＿.

カメラ

4 I can dance well.
（私は**メグ（Meg）と同じくらい**じょうずに踊れます。）

I can dance ＿＿＿＿＿＿＿＿＿＿.

踊る

5 This is an important thing.
（これは**すべての中でいちばん**大切なことです。）

This is ＿＿＿＿＿＿＿＿＿＿.

すべて：all

6 Ice hockey is popular in Canada.
（カナダではアイスホッケーは**野球よりも**人気があります。）

Ice hockey is ＿＿＿＿＿＿＿＿＿＿
in Canada.

7 She is a famous writer.
（彼女は**彼女の国でいちばん**有名な作家です。）

She is ＿＿＿＿＿＿＿＿＿＿.

作家：writer

復習タイム

答えは別冊14ページ

答え合わせが終わったら，音声に合わせて英文を音読しましょう。

CHAPTER 15　比較

1 [　　] 内の語を，必要なら適する形に変えて，(　　) に入れましょう。ただし，1語とは限りません。

1）This smartphone is (　　　　　) than my hand.（手）　[small]

2）This question is the (　　　　　) of all.　[easy]

3）Naomi speaks English (　　　　　) than her mother.　[well]

4）Soccer is as (　　　　　) as baseball in Japan.　[popular]

5）This book is (　　　　　) than that one.　[interesting]

6）It's (　　　　　) today than yesterday.　[hot]

7）Fall（秋） is the (　　　　　) season for reading（読書に）.　[good]

8）Your dog is (　　　　　) than mine.　[big]

2 次の英文に (　　) 内の意味を加えて書きかえましょう。

1）This lake is deep（深い）.（＋ヴィクトリア湖（Lake Victoria）よりも）

2）Soccer is a popular sport.（＋彼らの国でいちばん）

国：country

3 次の日本文を英語にしましょう。

1）彼はエイミー（Amy）ほどうまく歌えません。

うまく：well

2）私のコンピューターは，あなたのよりも速い。

速い：fast　　あなたのもの：yours

3）この映画は３つの中でいちばんおもしろい。

おもしろい：interesting

4）スミスさん（Mr. Smith）は私の父と同じくらい背が高い。

5）４つの中でどの国がいちばん広いですか。

国：country　　広い：large

6）今日，私たちはいつもよりも忙しかったです。

いつもより：than usual

7）これがこのホテルでいちばんよい部屋です。

ホテル：hotel

Coffee Break

like ～ better, like ～ the best

「ＢよりもＡのほうが好きだ」と言うときは，betterを使って，like A better than Bの形で表します。

・I like winter better than summer.　（私は夏よりも冬のほうが好きです。）
・Which do you like better, tea or coffee?
（あなたは紅茶とコーヒーでは，どちらのほうが好きですか。）

３つ以上の中で「～がいちばん好きだ」と言うときは，bestを使って，like ～ (the) best of [in] …の形で表します。

・I like science (the) best of all subjects.　（私はすべての教科の中で理科がいちばん好きです。）
・What sport do you like (the) best?　（あなたは何のスポーツがいちばん好きですか。）

LESSON 86「受け身」とは？

受け身（受動態）の意味と形／ *What is "Passive"?*

ここからは，「受け身」の文について学習します。

「受け身」とは，**「○○は〜される」「○○は〜された」**のような言い方のことです（受動態ともいいます）。ふつうの文と比べてみましょう。

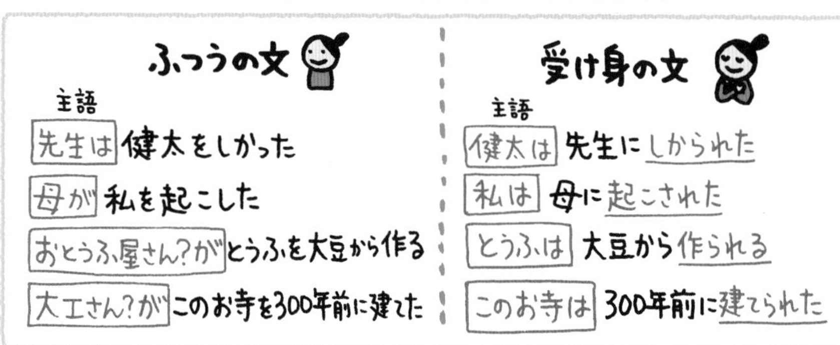

「主語が何かをする」のがふつうの文，「主語が何かをされる」のが受け身です。

ここで，「英語の文には主語が必要」という原則を思い出してください。左側のふつうの文では，「とうふ」や「お寺」の話をするときも，だれかを主語にしなければ文がつくれません。受け身は，そんなときに特に便利な言い方です。

受け身の文では**be 動詞**を使い，そのあとに**過去分詞**（動詞から変化した形のひとつ。次回くわしく学習します）を続けます。

「〜されます」（現在）なら be 動詞の現在形（am, are, is）を，「〜されました」（過去）なら be 動詞の過去形（was, were）を使います。

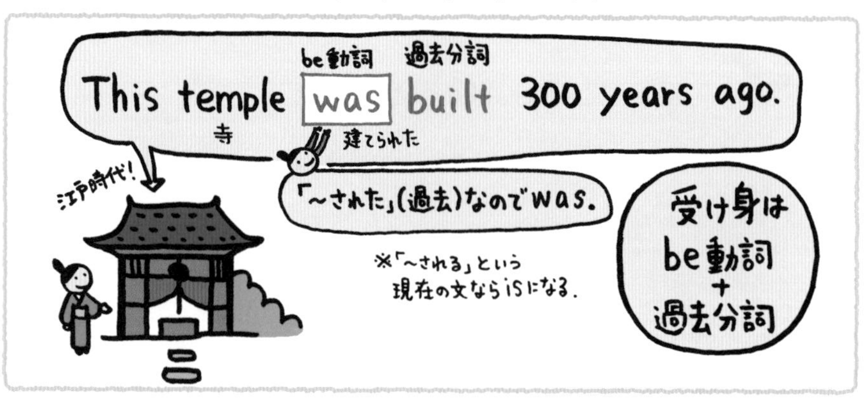

くわしく　受け身の文で「〜に（よって）」のように動作主を表すときは，前置詞の by を使います。（例）This picture was painted by Jim.（この絵はジムによって描かれました。）

EXERCISE

答えは別冊14ページ
答え合わせが終わったら，音声に合わせて英文を音読しましょう。

英語にしましょう。
「(主語）は～される，～された」という受け身の文であることに注意しましょう。

1 この部屋は毎日そうじされます。

This room ＿＿＿＿＿＿＿＿ every day.

そうじする（clean）の過去分詞：cleaned

2 このソフトはたくさんの会社で使われています。

This software ＿＿＿＿＿＿＿＿ in many companies.

使う（use）の過去分詞：used

3 とうふは大豆から作られます。

Tofu ＿＿＿＿＿＿＿＿ from soybeans.

大豆

作る（make）の過去分詞：made

4 私の家は 1950 年に建てられました。

My house ＿＿＿＿＿＿＿＿ in 1950.

建てる（build）の過去分詞：built

5 ワールドカップは去年開催されました。

The World Cup ＿＿＿＿＿＿＿＿ last year.

開催する（hold）の過去分詞：held

6 この石はエジプトで発見されました。

This stone ＿＿＿＿＿＿＿＿ in Egypt.

発見する（find）の過去分詞：found

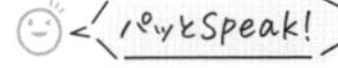

ふきだしの内容を英語で表しましょう。

外国のお客さんと美術館に来ています。

この絵は 400 年前に描かれました。

＿＿＿＿＿＿＿＿＿＿＿＿＿＿＿＿

＿＿＿＿＿＿＿＿＿＿＿＿＿＿＿＿

絵：picture　　描く（paint）の過去分詞：painted

LESSON 87 「過去分詞」とは？

過去分詞／*Past Participles*

受け身の文で be 動詞とセットで使われる「過去分詞」とは何でしょうか。

過去分詞とは，動詞から変化した形のひとつで，「～される」「～された」という意味があります。初めて学習する形ですが，全部を新しく暗記する必要はありません。なぜなら，**大部分の過去分詞は，過去形とまったく同じ形**だからです。

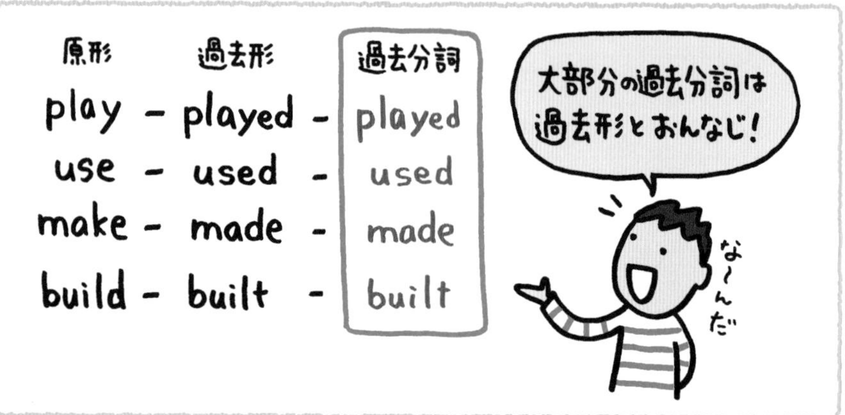

ただし，過去形と過去分詞がちがうものが少しだけあります（**不規則動詞のうちの一部**だけです）。まず次の 12 語を覚えておきましょう。

過去形とちがう過去分詞

この12語をおぼえよう！

原形	過去形	過去分詞
speak（話す）	spoke	spoken
see（見える）	saw	seen
give（与える）	gave	given
do（する）	did	done
eat（食べる）	ate	eaten
come（来る）	came	come
write（書く）	wrote	written
know（知っている）	knew	known
take（取る）	took	taken
break（こわす）	broke	broken
go（行く）	went	gone
become（～になる）	became	become

（過去形と過去分詞がちがう動詞はこれ以外にもあります。余裕がある人は巻末 p.300 の「動詞の語形変化一覧表」で学習しましょう。）

文法用語 過去分詞は「過去」という名前がついていますが，過去という「時」とは関係がないと考えてください。受動態・現在完了形〈→ p.232〉・修飾〈→ p.268〉で使われる形であり，過去分詞が「過去」を表すわけではありません。

EXERCISE

答えは別冊14ページ
答え合わせが終わったら，音声に合わせて英文を音読しましょう。

（　　）内の動詞を適する形に変えて（　　）に書きましょう。

1 この機械は日本で作られました。(make)
This machine was (　　　　) in Japan.
機械

2 100 人以上がそのパーティーに招待されました。(invite)
More than 100 people were (　　　　) to the party.
～より多くの

3 彼女はみんなに愛されています。(love)
She is (　　　　) by everyone.
～によって

4 スペイン語はたくさんの国で話されています。(speak)
Spanish is (　　　　) in many countries.
スペイン語

5 これらの写真は 1990 年に撮られました。(take)
These pictures were (　　　　) in 1990.

6 彼は偉大な科学者として知られています。(know)
He is (　　　　) as a great scientist.
～として　偉大な　科学者

7 モナ・リザはレオナルド・ダ・ヴィンチによって描かれました。(paint)
The Mona Lisa was (　　　　) by Leonardo da Vinci.

8 ハリー・ポッターの物語はＪ・Ｋ・ローリングによって書かれました。(write)
The Harry Potter stories were (　　　　) by J. K. Rowling.

LESSON 88 受け身の否定文・疑問文

受け身（受動態）の否定文・疑問文／*Passive Questions*

受け身は be 動詞を使う文なので，否定文・疑問文のつくり方は，すでに学習した be 動詞の否定文・疑問文と同じです。

否定文は，be 動詞のあとに not を入れれば OK です。**「～されません」「～されませんでした」**という意味になります。

be 動詞で文を始めれば，**「～されますか」「～されましたか」**という疑問文になります。ふつうの be 動詞の疑問文への答え方と同じで，be 動詞を使って答えます。

受け身は be 動詞を使う文なので，**do，does や did は使いません**。受け身ではない一般動詞の否定文・疑問文と混同しないように注意してください。

● 文法用語 「～される」「～された」という文を「受動態」というのに対して，「～する」「～した」というふつうの文を「能動態」といいます。

EXERCISE

答えは別冊14ページ
答え合わせが終わったら，音声に合わせて英文を音読しましょう。

(　　) 内の動詞を使って英語にしましょう。

1 このゲームは日本では販売されていません。(sell)

_______________ in Japan.

ゲーム：game　売る（sell）の過去分詞：sold

2 私はそのパーティーに招待されませんでした。(invite)

_______________ to the party.

3 彼はだれにも見られませんでした。(see)

_______________ by anyone.

だれも

見る（see）の過去分詞：seen

(　　) 内の動詞を使って英語にしましょう。
そのあとで，その質問に ①はい と ②いいえ で答えましょう。

(例) すしはあなたの国で食べられていますか。(eat)

Is sushi eaten in your country?

→ ① Yes, it is.　② No, it isn't.

4 あなたの国ではフランス語は話されていますか。(speak)

_______________ in your country?

フランス語：French

→ ① _______________　② _______________

5 この部屋はきのう，そうじされましたか。(clean)

_______________ yesterday?

→ ① _______________　② _______________

6 きのうのイベントは中止されたのですか。(cancel)

____

きのうのイベント：yesterday's event　中止する：cancel

→ ① _______________　② _______________

LESSON 89
受け身とふつうの文の整理

受け身（受動態）の文のまとめ／ *Passive (Review)*

受け身の文についてひととおり学習しました。ここで，特にまちがえやすいポイントを確認しておきましょう。

まず，**受け身の文は，be 動詞と過去分詞をセットで使う**ということに注意してください。

過去分詞だけでは文をつくれません。be 動詞を忘れないようにしてください。

受け身を学習すると，受け身ではない一般動詞の文にも be 動詞をつけてしまう人がいます。

受け身ではない一般動詞の文には，be 動詞をつけてはいけません。混同しないようにしましょう。

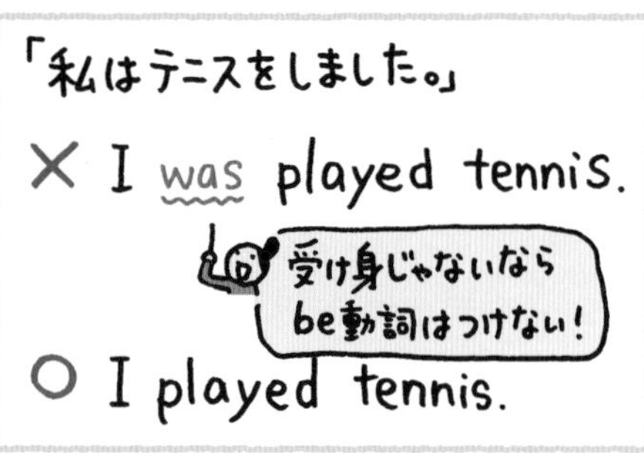

受け身の否定文・疑問文では be 動詞を使います。

しかし，受け身ではない一般動詞の否定文・疑問文の場合は，be 動詞ではなく do，does，did を使うのでしたね。これも混同しないようにしてください。

学び直し　受け身の文は，進行形の文と同じように，状態を表す「be 動詞の文」の一種だと理解してもいいでしょう。過去分詞は，文の骨組みとなり時制を表すという動詞本来の働きを失い，形容詞のような働きをしています。

EXERCISE

答えは別冊15ページ
答え合わせが終わったら，音声に合わせて英文を音読しましょう。

[　　] 内から適するほうを選び，(　　) に書きましょう。受け身の文なのか，そうでないのかに注意しましょう。

1 このお寺は去年，建てられました。 [built / was built]
This temple (　　　　　　) last year.
寺

2 私の母がこのドレスを作りました。 [made / was made]
My mother (　　　　　　) this dress.
ドレス

3 彼は私にメールを送りました。 [sent / was sent]
He (　　　　　　) me an e-mail.

4 台所はそうじされませんでした。 [was / did]
The kitchen (　　　　) not cleaned.

5 私はジョンソンさんを招待しませんでした。 [wasn't / didn't]
I (　　　　) invite Mr. Johnson.

6 彼女の本はだれにも読まれませんでした。 [wasn't / didn't]
Her book (　　　　) read by anyone.
だれも

7 彼女がこの絵を描いたのですか。 [Was / Did]
(　　　　) she paint this picture?

8 あなたがこの手紙を書いたのですか。 [Were / Did]
(　　　　) you write this letter?

9 この写真はここで撮られたのですか。 [Was / Did]
(　　　　) this picture taken here?

復習タイム

答えは別冊15ページ

答え合わせが終わったら，音声に合わせて英文を音読しましょう。

CHAPTER 16　受け身

1 次の（　）内から適するものを選び，○で囲みましょう。

1）Soccer (plays / played / is played) in many countries.

2）This picture (paints / painted / was painted) 100 years ago.

3）This room (doesn't / didn't / wasn't) cleaned yesterday.

4）(Do / Does / Is) French taught at your school?
French: フランス語

5）(Did / Was / Were) you invited to her birthday party?

2 次の［　］内の動詞を適する形に変えて，（　）に書きましょう。

1）Our website is (　　　　) by over 100 people every day.　[visit]
website: ウェブサイト　over: ～をこえる

2）This castle was (　　　　) in the 14th century.　[build]
castle: 城　century: 世紀

3）His novels are (　　　　) by a lot of young people.　[read]
novels: 小説

4）Three people were (　　　　) in the accident.　[kill]
accident: 事故

5）The first Tokyo Olympic Games were (　　　　) in 1964.　[hold]
Tokyo Olympic Games: 東京オリンピック

3 次の日本文を英語にしましょう。

1）彼はみんなに愛されています。

みんな：everyone

2）英語はたくさんの国で話されています。

たくさんの国：many countries

3）この本は有名な歌手によって書かれました。

有名な歌手：a famous singer

4）この部屋はもう使われていません。

もう：anymore

5）最初のコンピューターはおよそ80年前に作られました。

コンピューター：computer

6）私たちの会社は1947年に設立されました。

設立する：establish

Coffee Break

いろいろな受け身の文

受け身の疑問文を疑問詞と組み合わせれば，いろいろなことをたずねることができます。

・What language is spoken in Singapore?（シンガポールでは何語が話されていますか。）
・When was this statue made?（この像はいつ作られたのですか。） statue：彫像
・Where was this picture taken?（この写真はどこで撮られたのですか。）
・How many people are needed?（何人が必要とされているのですか。） need：必要とする

助動詞を使った受け身の文は〈助動詞＋be＋過去分詞〉の形になります。

・The event will be canceled.（そのイベントはキャンセルされるでしょう。）
・This tower can be seen from anywhere in the city.（この塔は市内のどこからでも見えます。）

LESSON 90 「現在完了形」とは？

現在完了形の基本的な意味／*What is "Present Perfect"?*

現在完了形は，**haveと過去分詞**〈→ p.224〉を使う言い方です。どんな意味を表すのか，まずは過去形と比べてみましょう。

左の人は「過去に住んだ」と言っているだけです。たぶん今は東京に住んでいません。それに対して右の人は現在完了形を使うことで，「２年間住んだ」ということだけでなく，**「今も東京に住んでいる」ということも同時に伝えているの**です。

過去形は「過ぎ去ったこと」を表すときに使いますが，それに対して現在完了形は，過去からつながっている「今の状態」を言うときに使われます。たとえば右の文は**「今，〈２年間東京に住んだ〉という状態にある」という感覚**です。

次回から，現在完了形の具体的な使い方を少しずつ学習していきましょう。

現在完了形は，現在進行形と同じように，現在時制の中のバリエーションのひとつです。現在時制には，単なる現在形（現在単純形）・現在進行形・現在完了形・現在完了進行形の４つの形があると理解しましょう。

EXERCISE

答えは別冊15ページ
答え合わせが終わったら，音声に合わせて英文を音読しましょう。

だれかが英語で次のように言ったとき，そこから読み取れる内容として正しいほうを○で囲みましょう。

1 I lived in Japan for three years.

→この人は日本に［今もまだ住んでいる / もう住んでいないかもしれない］。

2 I have lived in Japan for three years.

→この人は日本に［今もまだ住んでいる / もう住んでいないかもしれない］。

3 I worked here for over 20 years.
（over：～をこえて）

→この人は［今もまだここで働いている / もう働いていないかもしれない］。

4 I have worked here for over 20 years.

→この人は［今もまだここで働いている / もう働いていないかもしれない］。

5 I arrived at the station at 6:00.
（arrived at：～に到着する）

→この人は［今もまだ駅にいる / もう駅にはいないかもしれない］。

6 I have just arrived at the station.

→この人は［今もまだ駅にいる / もう駅にはいないかもしれない］。

7 David lost his wallet.
（wallet：さいふ）

→さいふは［まだ見つかっていない / もう見つかったかもしれない］。

8 David has lost his wallet.

→さいふは［まだ見つかっていない / もう見つかったかもしれない］。

LESSON 91

「継続」の現在完了形とは？

継続を表す文／*Present Perfect—Continuing Actions*

現在完了形は，過去からつながっている「今の状態」を言うときの表現です。**「(今まで)ずっと～している」**と言うときには**現在完了形（have＋過去分詞）**を使います。

be動詞にも過去分詞があります。be動詞の過去分詞は**been**です。

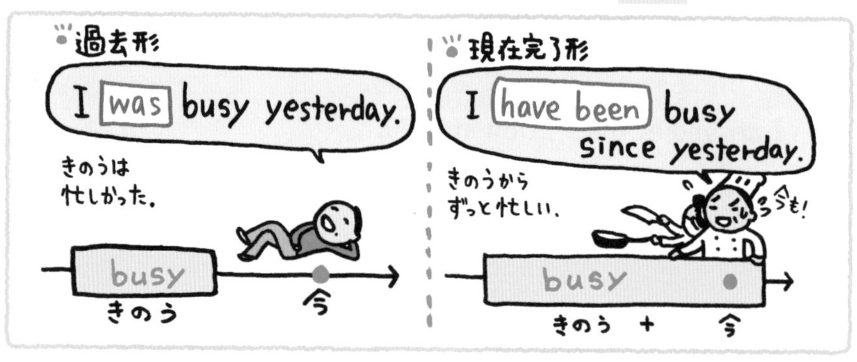

続いている期間の長さを伝えるときには**for ～**（～の間）を使います。
始まった時期がいつなのかを伝えるときには**since ～**（～以来）を使います。

現在完了形の文では，I haveを短縮した**I've**という形も使われます。
主語が3人称単数のときは，haveのかわりにhasを使うことに注意してください。

くわしく 〈have＋過去分詞〉で継続を表すのは，be, know, want, liveのように状態を表す動詞と，work, studyのように継続的に反復される行動を表す動詞だけです。一時的な動作の継続は現在完了進行形〈→ p.246〉で表します。

EXERCISE

答えは別冊15ページ
答え合わせが終わったら，音声に合わせて英文を音読しましょう。

英文に下線部の情報をつけ加えて書きかえましょう。

（例） I work here. （→私は今まで10年間ここで働いています。）
→I have worked here for ten years.

1 I am busy. （→私は先週から今まで忙しい。）
→ ________ since last week.

2 Mr. Jones is in Japan.
（→ジョーンズさんは2020年から今まで日本にいます。）
→ ________ since 2020.

3 I live in Tokyo. （→私は生まれてから今まで東京に住んでいます。）
→ ________ since I was born.
生まれた

4 I study English. （→私は今まで5年間英語を勉強しています。）
→ ________ for five years.

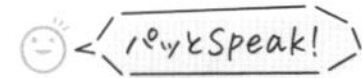

ふきだしの内容を英語で表しましょう。

図書館で友達と遭遇。いつからいるのか聞かれました。

今朝からずっとここにいるよ。

____

LESSON 92 「継続」の否定文・疑問文

現在完了形（継続）の否定文・疑問文／*Present Perfect Questions*

現在完了形の否定文・疑問文では，do や did は使いません。

現在完了形の文では have[has]を使いますが，この have[has]は，否定文・疑問文をつくるときにも使います。

現在完了形の否定文は，have[has]のあとに **not** を入れます。

have not → **haven't**，has not → **hasn't** という短縮形がよく使われます。

疑問文は Have[Has]で文を始めて，**Have you ～? / Has he ～?** などとします。答えるときには Yes, ～ have[has]. / No, ～ haven't[hasn't]. の形が使われます。

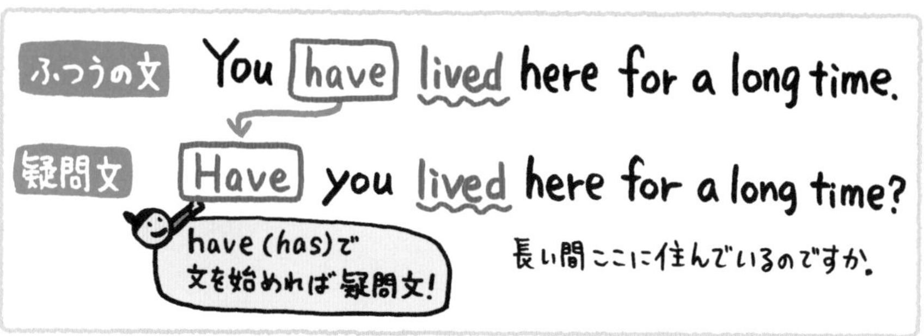

How long have you ～? で，続いている期間の長さをたずねることができます。

・英会話　現在完了形は決して特殊な文ではなく，現在と過去の情報を一度に伝えられる便利さから，会話でもよく使われます。I've been busy since yesterday. なら，「きのうは忙しかった」＋「今も忙しい」という情報を一度に伝えています。

EXERCISE ⊖答えは別冊16ページ
答え合わせが終わったら，音声に合わせて英文を音読しましょう。

（　　）内の動詞を使って英語にしましょう。
そのあとで，その質問に ①はい と ②いいえ で答えましょう。

（例） あなたは今朝からずっとここにいるのですか。（be）
Have you been here since this morning?
→ ① Yes, I have. ② No, I haven't.

1 彼女は長い間ここに住んでいるのですか。（live）
＿＿＿＿＿＿ for a long time?
→ ① ＿＿＿＿ ② ＿＿＿＿

2 あなたは長い間，彼を知っているの（昔からの知り合い）ですか。（know）
＿＿＿＿＿＿ for a long time?
→ ① ＿＿＿＿ ② ＿＿＿＿

（　　）内の動詞を使って英語にしましょう。

3 私は先週からずっと父に会っていません。（see）
＿＿＿＿＿＿ since last week.

4 私は昨夜からずっと何も食べていません。（eat）
＿＿＿＿＿＿ since last night.

5 あなたはどのくらい(の間)日本に住んでいますか。（live）
＿＿＿＿＿＿ in Japan?

6 あなたはどのくらい(の間)ここにいるのですか。（be）
＿＿＿＿＿＿ here?

LESSON 93 「経験」の現在完了形とは？

経験を表す文／*Present Perfect—Experience*

現在完了形は，過去からつながっている「今の状態」を言うときの表現でしたね。**「(今までに)～したことがある」**と言うときにも現在完了形を使います。

右の文は**「今，〈この映画を３回見た〉という状態にある」**のように，自分の「経験」について話している感じになります。

経験した回数を言うときには，～ times（～回）を使います。ただし，「１回」は one time のかわりに once,「２回」は two times のかわりに twice がよく使われます。

1回	once
2回	twice
3回	three times
4回	four times
	⋮

「～に行ったことがある」は，be 動詞の過去分詞 been を使って **have been to ～**で表します。

英会話　現在完了形はあくまでも現在の状態を表します。したがって× I have seen this movie last week. のように過去を表す語句といっしょに使うことはできません。（ただし〈since ＋過去を表す語句〉は OK。）

EXERCISE

答えは別冊16ページ
答え合わせが終わったら，音声に合わせて英文を音読しましょう。

英語にしましょう。(　　) 内の動詞を使ってください。

1 私は何度もこの映画を見たことがあります。(see)

________________ many times.

2 私は一度，彼女に会ったことがあります。(meet)

________________ once.

3 彼は3回，中国に行ったことがあります。(be)

________________ three times.

中国：China

4 私の祖父母は2回，ハワイに行ったことがあります。(be)

________________ twice.

祖父母：grandparents　ハワイ：Hawaii

5 私は以前にこの話を聞いたことがあります。(hear)

________________ before.

話：story

6 私は以前に彼女の本を読んだことがあります。(read)

________________ before.

7 私は彼の名前を何度も聞いたことがあります。(hear)

________________ many times.

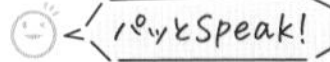

ふきだしの内容を英語で表しましょう。

友達がおもしろい動画を見つけたと言っていますが…。

この動画，前に見たことがあります。

____

動画：video

CHAPTER 17 現在完了形

LESSON 94 # 「経験」の否定文・疑問文

現在完了形（経験）の否定文・疑問文／*Present Perfect Questions*

現在完了形の否定文は have[has]のあとに not を入れるのでしたね。

「（今までに）一度も〜したことがない」 と言うときには，not のかわりに，「一度も〜ない」という意味の否定語である never がよく使われます。never を使うときには not は必要ありません。

現在完了形の疑問文は Have[Has]で文を始めるのでしたね。

「（今までに）〜したことがありますか」 と経験をたずねるときには，Have you ever 〜? の形がよく使われます。ever は「（いつでもいいので）今までに」という意味で，疑問文で使われます。

くわしく　ever は「いつでもいいので今までに」といった意味です。× I have ever been to 〜. のように肯定文で使うことはできませんが，the best movie I've ever seen（今までに見た中で最良の映画）のように最上級の文で使われることがあります。

EXERCISE

答えは別冊16ページ
答え合わせが終わったら，音声に合わせて英文を音読しましょう。

英語にしましょう。（　　）内の動詞を使ってください。

1　私は一度もゴルフをしたことがありません。（play）

ゴルフ：golf

2　彼は一度もパンダを見たことがありません。（see）

パンダ：a panda

3　私は一度も海外に行ったことがありません。（be）

海外に：abroad（1語で「海外に，海外で」という意味を表す副詞なので，abroad の前に to は不要）

4　あなたは今までにこの料理を食べてみたことがありますか。（try）

食べてみる：try　料理：dish

5　あなたは今までに歌舞伎（kabuki）について聞いたことがありますか。（hear）

～について聞く，～のことを聞いて知っている：hear of ～

6　私たちは以前，会ったことがありますか。（meet）

以前：before

7　あなたは今までに彼の小説をどれか読んだことがありますか。（read）

～のどれか：any of ～　小説：novel

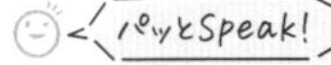

ふきだしの内容を英語で表しましょう。

海外からオンラインで英語を教えてくれる先生に，聞いてみましょう。

今まで日本に来たことはありますか。

LESSON 95 「完了」の現在完了形とは？

完了を表す文／*Present Perfect—Finished Actions*

現在完了形は，過去からつながっている「今の状態」を言うときの表現でしたね。**「もう～してしまった」「ちょうど～したところだ」**と言いたいときにも現在完了形を使います。

上の文はどちらも，**「今，〈宿題を終わらせた〉という状態にある」**という感覚です。（already は「（もう）すでに」, just は「ちょうど」「たった今」という意味です。）

疑問文で「もう～しましたか」とたずねることができます。

疑問文の yet は「もう」という意味です。

否定文で「まだ～していない」と言うことができます。

否定文の yet は「まだ」という意味です。

くわしく　現在完了形は「現在」の状態を表します。そのため，× I have finished my homework an hour ago. のように過去を表す語句といっしょに使うことはできません。

EXERCISE

答えは別冊16ページ
答え合わせが終わったら，音声に合わせて英文を音読しましょう。

英語にしましょう。(　　) 内の動詞を使ってください。

1　私はちょうど宿題を終わらせたところです。(finish)

(私の) 宿題：my homework

2　私はまだこの本を読んでいません。(read)

3　私はちょうど空港に到着したところです。(arrive)

～に到着する：arrive at ～　　空港：the airport

4　彼女はもう自分の部屋をそうじしましたか。(clean)

5　映画はまだ始まっていません。(start)

映画：the movie

6　私はすでにお皿を洗ってしまいました。(wash)

お皿：the dishes

7　あなたはもう予約をしましたか。(make)

予約をする：make the reservation

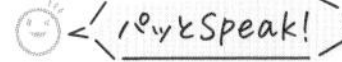

ふきだしの内容を英語で表しましょう。

友達を待っていたのですが…。

ちょうどバス行っちゃったよ。

出発する (leave) の過去分詞を使いましょう。

LESSON 96

現在完了形の整理

現在完了形のまとめ／*Present Perfect (Review)*

現在完了形は，**過去からつながっている「今の状態」を言うときに使う表現**です。使われる場面をまとめると，次の３つになります。

①**「(今まで) ずっと〜している」**と言うとき

I have lived in Tokyo for two years.（私は２年間東京に住んでいます。）

…「今，〈２年間東京に住んだ〉という状態にある」という感じ

②**「(今までに) 〜したことがある」**と言うとき

I have seen this movie three times.（私はこの映画を３回見たことがあります。）

…「今，〈この映画を３回見た〉という状態にある」という感じ

③**「もう〜してしまった」「ちょうど〜したところだ」**と言うとき

I have already finished my homework.（私はすでに宿題を終わらせました。）

…「今，〈すでに宿題を終わらせた〉という状態にある」という感じ

現在完了形は〈have＋過去分詞〉で表します。ただし，主語が３人称単数ならhaveのかわりにhasを使います。

I You 複数の主語	have	been seen など，過去分詞	〜.
He She 単数の主語	has		

否定文はhave/hasのあとにnotを入れます。

疑問文はHave/Hasで文を始め，答えるときもhave/hasを使います。

Have	you 複数の主語	been seen など，過去分詞	〜？
Has	he she 単数の主語		

くわしく　現在完了形(完了)では，現在の状態に重点をおいた「結果」という用法も紹介されることがあります。He has lost all his money.（彼はお金を全部失ってしまっている。）のように，「その結果，現在はこうである」ということを表します。

EXERCISE

答えは別冊16ページ
答え合わせが終わったら，音声に合わせて英文を音読しましょう。

英語にしましょう。(　　) 内の動詞を使ってください。

1 私の祖母は5年間フランス語を勉強しています。(study)

フランス語：French

2 彼らは昨夜からここにいるのですか。(be)

3 私たちは何度も京都に行ったことがあります。(be)

4 あなたは今までにクジラを見たことがありますか。(see)

クジラ：a whale

5 荷物がちょうど届いたところです。(arrive)

荷物，小包：the package

6 あなたはもう昼食を終えましたか。(finish)

昼食：lunch

7 あなたは今までにフルートを吹いたことがありますか。(play)

フルート：the flute

8 あなたは今までにナチョスを食べたことがありますか。(eat)

ナチョス：nachos

LESSON 97 「現在完了進行形」とは？

現在完了進行形の意味と形／*Present Perfect Progressive*

〈have ＋過去分詞〉の現在完了形で，「(今まで) ずっと～している」という継続の意味を表すことができましたね。

実は，この〈have ＋過去分詞〉で「ずっと～している」という意味を表せるのは，be 動詞や live（住んでいる），know（知っている）など，おもに状態や習慣を表す一部の動詞に限られます。

状態ではなく**動作**（「(テレビを) 見る」「話す」「読む」…など）について**「(今まで) ずっと～し続けている」**と言うときは，〈have been ＋ ing 形〉を使います。これを現在完了進行形といいます。

How long ～? の疑問文で，「どのくらいの間～し続けていますか」とたずねることができます。

・くわしく 動詞によっては，現在完了形と現在完了進行形のどちらを使ってもあまり意味が変わらない場合があります。
（例）I've studied［I've been studying］English for many years.（私は長年，英語を勉強してきました。）

EXERCISE

答えは別冊16ページ
答え合わせが終わったら，音声に合わせて英文を音読しましょう。

英語にしましょう。(　　) 内の動詞を使ってください。

1 彼は3時間ずっとそのゲームをしています。(play)

ゲーム：the game

2 私は午後7時からずっとこの本を読んでいます。(read)

午後7時：7 p.m.

3 彼女は友達と2時間ずっと話し続けています。(talk)

(彼女の)友達：her friend

4 私の兄は今朝からずっと料理をしています。(cook)

5 彼らは2時間以上ずっと歌い続けています。(sing)

～以上 (～をこえて)：more than ～

6 私はここで15分くらいずっと待っています。(wait)

15分くらい：for about fifteen minutes

7 私たちは今や8時間ずっと働いています。(work)

now.

8時間：for eight hours

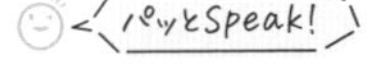

ふきだしの内容を英語で表しましょう。

海外にいる相手から天気を聞かれました。

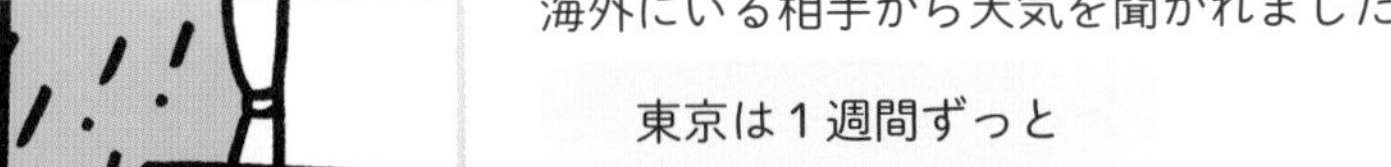

東京は1週間ずっと
雨が降っています。

itを主語にして，動詞rainを使いましょう。

復習タイム

CHAPTER 17　現在完了形

答えは別冊16ページ

答え合わせが終わったら，音声に合わせて英文を音読しましょう。

2-40

1　次の（　　）内から適するものを選び，〇で囲みましょう。

1）バスはちょうど出発したところです。
The bus has just (leave / left / leaving).

2）私は午前６時からずっと練習し続けています。
I've been (practice / practiced / practicing) since 6 a.m.

3）私たちは10年間この町に住んでいます。
We have lived in this town (from / for / since) ten years.

4）私は今朝からずっと眠いです。
I have been sleepy (from / for / since) this morning.

5）映画はたった今始まったところです。
The movie has (yet / already / just) started.

6）私たちはまだ食べ終わっていません。
We haven't finished eating (yet / already / just).

7）あなたは今までにこの本を読んだことがありますか。
Have you (ever / never / once) read this book?

8）あなたはあのレストランに行ったことがありますか。
Have you ever (went / be / been) to that restaurant?

9）私は今までに海外に行ったことがありません。
I've (ever / never / once) been abroad.

2 次の日本文を英語にしましょう。（　　）内の動詞を使ってください。

1）あなたは今までにタコを食べたことがありますか。(eat)

タコ：octopus

2）私は一度も美術館に行ったことがありません。(be)

美術館：an art museum

3）彼らは午後５時からずっとしゃべっています。(talk)

4）私は10歳のころからずっとこのバンドの大ファンです。(be)

大ファン：a big fan　このバンドの：of this band　10歳のころから：since I was ten

5）私は彼女のことを一日じゅうずっと考えています。(think)

一日じゅう：all day

6）あなたは今までに京都に行ったことがありますか。(be)

7）あなたは今までどのくらい（の間）日本にいるのですか。(be)

Coffee Break

現在完了形のいろいろな疑問文

p.236で学習したHow long以外に，次のような疑問詞を使った現在完了形の疑問文もあります。

・How many times have you been to Kyoto?
（あなたは京都に何回行ったことがありますか。）

・How have you been?
（〈ひさしぶりに会う人に〉元気でしたか？ / 元気にしてた？）

・Where have you been?
（今までどこに行ってたの？ / どこにいたのですか？）

LESSON 98 「〜することは…です」

"It is ... to 〜."

「〜すること」を表す〈to＋動詞の原形〉は便利な言い方ですが，文の主語としてはあまり使われません。

たとえば「外に出るのは危険です」と言いたいときは，To go out（外に出ること）を主語にするよりもふさわしい言い方があります。それは，**It を主語にする**言い方です。

まず It's dangerous（危険です）と先に言ってしまってから，そのあとで「何が危険なのか」をゆっくり説明するわけです。

この It は，**前に出てきた何かをさしているわけではありません。**ただ，〈to＋動詞の原形〉のかわりに「とりあえずの主語」として使われているだけです。

「○○にとって」と言いたいときは，for me（私にとって），for him（彼にとって）などを to の前に入れます。

文法用語 It is … to 〜. の it は「形式主語」「仮主語」，to 〜は「真主語」と呼ばれることがあります。また，for me などの me の部分は「不定詞の意味上の主語」と呼ばれることがあります。

EXERCISE

答えは別冊17ページ
答え合わせが終わったら，音声に合わせて英文を音読しましょう。

英語にしましょう。

1 ピザを作るのは簡単です。

簡単な：easy　ピザを作る：make pizza

2 お互いを助け合うことは大切です。

大切な，重要な：important　お互い：each other

3 彼の講義を理解するのは難しかった。

難しい：difficult　理解する：understand　講義：lecture

4 ほかの文化について学ぶことはおもしろい。

おもしろい：interesting　～について学ぶ：learn about ～　ほかの文化：other cultures

5 100 メートル泳ぐのは彼女にとって簡単です。

100 メートル泳ぐ：swim 100 meters

6 そこに 1 人で行くのは危険です。

1 人で：alone

7 環境を守ることは私たちにとって重要です。

守る：protect　環境：the environment

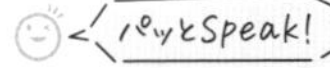

ふきだしの内容を英語で表しましょう。

伝えたいことが複雑で，うまく言えないことをわかってもらいましょう。

英語で説明するのは，私には大変です。

大変な：hard　説明する：explain

LESSON 99 「～のしかた」

"how to ～"

今回は，疑問詞の how（どう，どのように）と〈to＋動詞の原形〉を組み合わせた表現を学習します。

〈how to ＋動詞の原形〉で，**「どのように～すればよいか」「～のしかた」**という意味を表します。何かのやり方を質問するときなどに使われる，便利な表現です。know や tell me などのあとでよく使われます。

どこかへの行き方や道をたずねるときには，**how to get to …**（…への行き方）という表現がよく使われます。

この get to …は，「…へ到着する，たどり着く」という意味の熟語です。how to get to …で，「…へどのように着けばよいか」→「…への行き方」という意味になります。

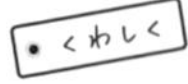
〈主語＋動詞＋ how to ～〉の文は how to ～の部分がひとまとまりとして動詞の目的語になっている SVO の文です。また，He told me how to ～. などの文は SVOO の文になっています。

EXERCISE

➔答えは別冊17ページ
答え合わせが終わったら，音声に合わせて英文を音読しましょう。

英語にしましょう。

1 あなたはこの機械の使い方を知っていますか。

Do you know ＿＿＿＿＿＿＿＿＿＿＿＿＿＿＿＿＿＿＿＿?

使う：use　機械：machine

2 私はチェスのしかたを知りません。

I don't know ＿＿＿＿＿＿＿＿＿＿＿＿＿＿＿＿＿＿＿＿.

チェスをする：play chess

3 私にこの料理の作り方を教えてください。

Please tell me ＿＿＿＿＿＿＿＿＿＿＿＿＿＿＿＿＿＿＿＿.

作る：make　料理：dish

4 ノア（Noah）の家への行き方を知っていますか。

Do you know ＿＿＿＿＿＿＿＿＿＿＿＿＿＿＿＿＿＿＿＿?

ノアの家：Noah's house

5 私はそこへの行き方を知りませんでした。

I didn't know ＿＿＿＿＿＿＿＿＿＿＿＿＿＿＿＿＿＿＿＿.

そこへ：there（1語で「そこへ，そこで」の意味なので，there の前に to は不要）

6 この単語はどう発音するのか教えていただけますか。

Could you tell me ＿＿＿＿＿＿＿＿＿＿＿＿＿＿＿＿＿＿＿＿?

発音する：pronounce

7 オンラインでそのフォルダにアクセスする方法を知っていますか。

Do you know ＿＿＿＿＿＿＿＿＿＿＿＿＿＿＿＿＿＿＿＿?

～にアクセスする：access　そのフォルダ：the folder　オンラインで：online

ふきだしの内容を英語で表しましょう。

道に迷ってしまいました。

駅への行き方を教えていただけますか。

＿＿＿＿＿＿＿＿＿＿＿＿＿＿＿＿＿＿＿＿

Could you ～? でたずねましょう。

LESSON 100 「何をすればよいか」

"what to ～", "where to ～"

how 以外の疑問詞（what, where など）と〈to＋動詞の原形〉を組み合わせた表現もあります。

〈what to＋動詞の原形〉で**「何を～すればよいか」**という意味になります。know や tell me などのあとでよく使われます。

〈where to＋動詞の原形〉は**「どこで～すればよいか」「どこに～すればよいか」**という意味になります。

このほか，when to ～は「いつ～すればよいか」，which to ～は「どちらを～すればよいか」という意味になります。

くわしく I didn't know which bus to take.（私はどのバスに乗ればよいかわからなかった。）のように，疑問詞（which, what）のあとに名詞がくることもあります。

EXERCISE

答えは別冊17ページ
答え合わせが終わったら，音声に合わせて英文を音読しましょう。

英語にしましょう。

1 私たちは何をすればよいかわかりませんでした。

We didn't know ＿＿＿＿＿＿＿＿＿＿.

2 私は何を言えばよいかわかりませんでした。

I didn't know ＿＿＿＿＿＿＿＿＿＿.

3 彼はどこに行けばよいかわかりませんでした。

He didn't know ＿＿＿＿＿＿＿＿＿＿.

4 あなたはどこで切符を買えばよいか知っていますか。

Do you know ＿＿＿＿＿＿＿＿＿＿?

買う：buy　切符：a ticket

5 私はどちらを買えばよいか決められません。

I can't decide ＿＿＿＿＿＿＿＿＿＿.

6 私はどこで電車を降りたらよいか知りませんでした。

I didn't know ＿＿＿＿＿＿＿＿＿＿.

降りる：get off　電車：the train

7 私は夏休みにどこに行くか決めていません。

I haven't decided ＿＿＿＿＿＿＿＿＿＿.

夏休みに：for summer vacation

8 お医者さんが，いつ薬を飲めばいいのか教えてくれました。

The doctor told me ＿＿＿＿＿＿＿＿＿＿.

（私の）薬を飲む：take my medicine

9 私はだれに相談したらいいのかわかりませんでした。

I didn't know ＿＿＿＿＿＿＿＿＿＿.

～に相談する，話す：talk to ～

LESSON 101「〜してほしい」

want 人 to 〜／ *"want someone to do"*

今回は,「(人) に〜してほしい」という言い方を学習します。

「(人) に〜してほしい」 と言うときには,〈want 人 to 〜〉の形で表します。(to のあとには動詞の原形がきます。)

I want のかわりに I'd like を使うと，よりていねいな言い方になります。

Do you want me to 〜? は,「私に〜してほしいですか」という意味ですが, そこから **「〜してあげようか？」** と気軽に申し出るときによく使われます。

Do you want me to 〜? のかわりに Would you like me to 〜? とすると，よりていねいな言い方になります。

・英会話 I want you to 〜. / I'd like you to 〜. は,「あなたに〜してほしい。」のように自分の希望を一方的に伝える言い方です。何かをていねいにお願いしたい場合は，相手の意向をたずねる Could you 〜? などの表現を使いましょう。

EXERCISE

答えは別冊17ページ
答え合わせが終わったら，音声に合わせて英文を音読しましょう。

英語にしましょう。

1 私はあなたにこの記事を読んでほしい。

I want ______________________.

記事：article

2 私は彼らに幸せになってほしい。

I want ______________________.

3 私たちは彼にリーダーになってほしい。

We want ______________________.

リーダー：the leader

4 あなたに，私といっしょに来てほしいのですが。

I'd like ______________________.

5 あなたの国について私に話してほしいのですが。

I'd like ______________________.

（人に）話す，伝える：tell　～について：about　国：country

6 彼女はあなたに謝ってほしかったのです。

She ______________________.

謝る：apologize

7 私は自分の息子にこの動画を見てほしくありません。

I don't ______________________.

息子：son　見る：see　動画：video

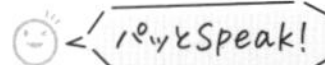

ふきだしの内容を英語で表しましょう。

友達が料理をしてくれていますが，大変そうです。

手伝おうか？

____

「私に手伝ってほしいですか？」と考えましょう。　手伝う：help

LESSON 102「〜するように伝える」

tell/ask 人 to 〜／ *"tell/ask someone to do"*

今回は,「(人) に〜するように伝える」「(人) に〜するように頼む」という言い方を学習します。

「(人) に〜するように伝える」「(人) に〜するように言う」 は,〈tell 人 to 〜〉の形で表します。(to のあとには動詞の原形がきます。)

「(人)に〜するように頼む」 と言うときには,〈ask 人 to 〜〉の形で表します。(ask には「たずねる」のほかに「頼む」という意味もあります。)

くわしく 「…に〜しないように言う」のように不定詞を否定するときは,不定詞のすぐ前に not をおいて〈not to ＋動詞の原形〉にします。(例) He told me not to worry.(彼は私に心配しないように言いました。)

EXERCISE

答えは別冊17ページ
答え合わせが終わったら，音声に合わせて英文を音読しましょう。

英語にしましょう。

1 私の母は，私に台所をそうじするように言いました。

My mother ＿＿＿＿＿＿＿＿＿＿＿＿＿＿＿＿.

そうじする：clean　台所：the kitchen

2 ジョーンズ先生は，私たちに英語で話すように言いました。

Ms. Jones ＿＿＿＿＿＿＿＿＿＿＿＿＿＿＿＿.

英語で話す：speak in English

3 私の祖母は，いつも私に本を読むように言います。

My grandmother ＿＿＿＿＿＿＿＿＿＿＿＿＿＿＿＿.

いつも：always　本を読む：read books

4 アンディー（Andy）に7時に来るように伝えてください。

Please ＿＿＿＿＿＿＿＿＿＿＿＿＿＿＿＿.

7時に：at seven

5 私は彼に，もっとゆっくり話してくれるように頼みました。

＿＿＿＿＿＿＿＿＿＿＿＿＿＿＿＿

話す：speak　もっとゆっくり：more slowly

6 私は彼女に，英語で説明してくれるように頼みました。

＿＿＿＿＿＿＿＿＿＿＿＿＿＿＿＿

説明する：explain　英語で：in English

7 私に電話するように彼女に伝えていただけますか。

Could you ＿＿＿＿＿＿＿＿＿＿＿＿＿＿＿＿?

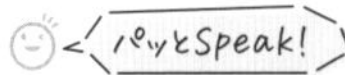

ふきだしの内容を英語で表しましょう。

職員室の入り口で用件を伝えましょう。

ジョーンズ先生（Mr. Jones）に来るように言われました。

＿＿＿＿＿＿＿＿＿＿＿＿＿＿＿＿

「ジョーンズ先生が私に，来るように言いました。」と考えましょう。

LESSON 103 let などの使い方

原形不定詞／ *"let/help someone do"*

今回は let, help, make という 3 つの動詞について，あとに別の動詞がくる使い方を学習します。

let は Let's 〜.（〜しましょう。）の形でよく使いますが，もともとは「〜させる（〜するのを許す）」という意味の動詞です。〈let A B〉で **「AにBさせる」** という意味を表します。Bには**動詞の原形**がきます。Let me 〜.(私に〜させて。）の形でよく使われます。

〈help A B〉は **「AがBするのを助ける」** という意味を表します。Bには動詞の原形がきます。

〈make A B〉は **「AにBさせる」** という意味を表します。Bには動詞の原形がきます。make は let とちがって「強制的にさせる」という意味合いがあります。

・文法用語 let や help のあとにくる動詞の原形は，to 不定詞に対して「原形不定詞」といいます（help に関しては，あとに to 不定詞がくることもあります）。let や make のように「〜させる」という意味の動詞は「使役動詞」といいます。

EXERCISE

答えは別冊17ページ
答え合わせが終わったら，音声に合わせて英文を音読しましょう。

英語にしましょう。（　　）内の動詞を使ってください。

1 それについては私に考えさせてください。（ let, think ）

それについて：about it

2 私にオフィスをご案内させてください。（ let, show ）

～を（あなたを）案内して回る：show you around ～　オフィス：the office

3 私に，あなたへヒントを出させてください。（ let, give ）

ヒント：a hint

4 私は，彼がこの動画を作るのを手伝いました。（ help, make ）

動画：video

5 彼女は，私がさいふを見つけるのを手伝ってくれました。
（ help, find ）

（私の）さいふ：my wallet

6 そのニュースは私を泣かせました。（ make, cry ）

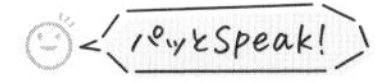

ふきだしの内容を英語で表しましょう。

来週，予定があいているか聞かれました。

確認させてください。

確認する：check

復習タイム

CHAPTER 18　不定詞（発展）

答えは別冊17ページ

答え合わせが終わったら，音声に合わせて英文を音読しましょう。

1 次の（　　）内の語句を並べかえて，英文を完成しましょう。

1）私たちはどこに行けばよいかわかりませんでした。
(to / didn't / we / go / know / where)

2）英語でメールを書くのは私には難しい。
(me / it's / hard / write / for / to)

---------------------------- an e-mail in English.

3）私たちは，あなたに私たちのチームに加わってほしい。
(our team / you / join / want / to)

We ---------------------------------- .

4）だれがあなたにここに来るように言いましたか。
(you / here / told / come / to)

Who ---------------------------------- ?

5）私といっしょに来ませんか。
(you / come / me / with / like / would / to)

6）どうか私にお手伝いさせてください。
(you / me / help / let)

Please ---------------------------------- .

7）アレックスは私がこのウェブサイトを作るのを手伝ってくれました。
(this / make / website / helped / me)

Alex ---------------------------------- .

2 次の日本文を英語にしましょう。

1）私は何をすればよいかわかりませんでした。

2）私は彼に，私の先生になってほしい。

3）私はアンディー（Andy）に，ここで待つように言いました。

待つ：wait　ここで：here

4）彼女に，折り返し私に電話するように伝えていただけませんか。
Could you ＿＿＿＿＿＿＿＿, please?

～に折り返し電話する：call ～ back

5）私はこのアプリの使い方を知りません。

アプリ：app

6）空港への行き方を教えていただけますか。

空港：the airport

「時間がかかる」の言い方

「～するのに30分かかります」などと言うときは，It takes 30 minutes to ～.のように言います。このtakeは「時間がかかる」という意味です。

・It takes about 30 minutes to get to the station from here.
（ここから駅に行くには約30分かかります。）
・It took (me) an hour to finish my homework.
（宿題を終わらせるのに1時間かかりました。）

「～するのにどのくらい時間がかかりますか」はHow long does it take to ～？でたずねます。

・How long does it take to get there?
（そこに行くのにどのくらい時間がかかりますか。）

LESSON 104 「机の上の本」など

名詞を修飾する前置詞句／*Noun-Modifying Prepositional Phrases*

日本語では，名詞（たとえば「本」）を修飾することばは，「机の上の本」「動物についての本」のように，いつも名詞の前にきます。

（「修飾」とは，飾ること，つまり情報をプラスすることです。）

しかし英語では，**名詞をうしろから修飾する**場合があります。今回から，この「うしろから修飾するパターン」について学習していきます。

まずは，前置詞を使う場合です。「机の上の本」と言うときには，on the desk（机の上の）というまとまりが，名詞 book を**うしろから修飾**します。

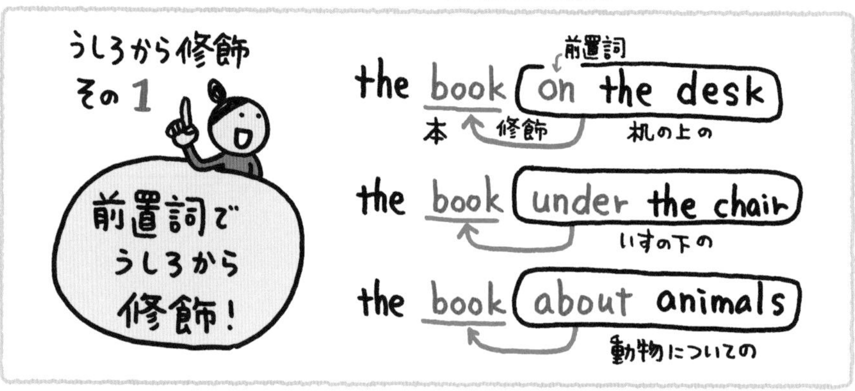

前置詞で始まるまとまり（on the desk など）は，文の最後だけでなく，文のまん中に入ることもあります。「うしろから修飾する」という，日本語にない感覚に慣れましょう。

文法用語 名詞をうしろから修飾することを一般に「後置修飾」といい，名詞を修飾する句は，その働きから「形容詞句」と呼ぶことがあります。また，on the desk などの前置詞で始まる句は，その形から「前置詞句」とも呼ばれます。

EXERCISE

答えは別冊18ページ
答え合わせが終わったら，音声に合わせて英文を音読しましょう。

英語にしましょう。（　　）内の前置詞を使ってください。
名詞を「うしろから修飾している」ことを意識してください。

1　机の上の辞書は私のです。（on）

The dictionary ＿＿＿＿＿＿＿＿＿＿＿＿ is mine.

机：the desk

2　東京の友達がきのう，私に電話をかけてきました。（in）

A friend ＿＿＿＿＿＿＿＿＿＿＿＿ called me yesterday.

3　宇宙についての本はとてもおもしろい。（about）

Books ＿＿＿＿＿＿＿＿＿＿＿＿ are very interesting.

宇宙：space

4　これは私の家族の写真です。（of）

This is a picture ＿＿＿＿＿＿＿＿＿＿＿＿.

家族：family

5　この箱の中の物は全部あなたのです。（in）

All the things ＿＿＿＿＿＿＿＿＿＿＿＿ are yours.

箱：box

6　あの長い髪の女の人はだれですか。（with）

Who's that woman ＿＿＿＿＿＿＿＿＿＿＿＿?

髪：hair

7　これはカナダにいる友達からのプレゼントです。（from，in）

This is a present ＿＿＿＿＿＿＿＿＿＿＿＿.

友達：a friend　カナダ：Canada

LESSON 105 「ピアノを弾いている女の子」など

名詞を修飾するing形／ *Noun-Modifying "-ing" Phrases*

名詞をうしろから修飾するパターンの２番目は，動詞の ing 形を使う形です。（ing 形は「進行形」で使いましたね。〈be 動詞＋ing 形〉のセットが進行形でした。）ing 形自体には，**「～している」** という意味があるのです。

「女の子」（the girl）という名詞を修飾して「ピアノを弾いている女の子」と言いたいときには，the girl playing the piano とします。ing 形で始まるまとまり（playing the piano）が，前の名詞を**うしろから修飾**します。

× playing the piano girl などと言うことはできません。ing 形で始まる２語以上のまとまりは，名詞をいつも**うしろから**修飾します。

playing the piano（ピアノを弾いている）のような ing 形で始まるまとまりが，文の最後や，文のまん中に入ってくる形に慣れましょう。

文法用語 動詞の ing 形は「現在分詞」とも呼ばれ，ing 形が名詞を修飾する用法は「現在分詞の形容詞用法」と呼ばれます。現在分詞が，あとに語句を伴わずに１語で名詞を修飾するときは，ふつう現在分詞は名詞の前にきます。〈→ p.273〉

EXERCISE

答えは別冊18ページ
答え合わせが終わったら，音声に合わせて英文を音読しましょう。

英語にしましょう。（　　）内の動詞を使ってください。
名詞を「うしろから修飾している」ことを意識してください。

1 あそこを走っているあの男の子はだれですか。（run）

Who's that boy ________________?

あそこを：over there

2 あそこを飛んでいるあの鳥が見えますか。（fly）

Can you see that bird ________________?

3 私は雑誌を読んでいる女性に話しかけました。（read）

I talked to a woman ________________.

雑誌：a magazine

4 ミラーさんはドアのそばに立っている背の高い女の人です。（stand）

Ms. Miller is the tall woman ________________.

ドアのそばに：by the door

5 庭で遊んでいる男の子たちは私のクラスメイトです。（play）

The boys ________________ are my classmates.

庭：the yard

6 木に登っているサルを見てごらんなさい。（climb）

Look at the monkey ________________.

木：the tree

パッとSpeak! **ふきだしの内容を英語で表しましょう。**

友達が知らない人と話しています。

エイミー（Amy）と話している
あの男性はだれですか。

____

あの男性：that man　話す：talk

LESSON 106 「10 年前に撮られた写真」など

名詞を修飾する過去分詞／*Noun-Modifying Past-Participle Phrases*

名詞をうしろから修飾するパターンの3番目は，過去分詞を使います。（過去分詞は「受け身」で使いましたね。〈be 動詞＋過去分詞〉のセットが受け身でした。）過去分詞自体には，**「〜された」**という意味があるのです。

「写真」（a picture）という名詞を修飾して「10 年前に撮られた写真」と言いたいときには，a picture taken ten years ago とします。過去分詞で始まるまとまり（taken ten years ago）が，前の名詞を**うしろから修飾**します。

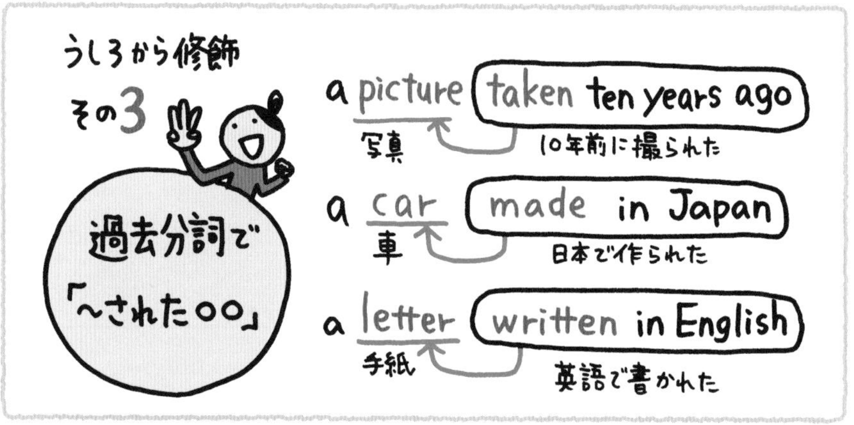

× taken ten years ago picture などと言うことはできません。過去分詞で始まる2語以上のまとまりは，名詞をいつも**うしろから**修飾します。

taken ten years ago（10 年前に撮られた）のような過去分詞で始まるまとまりが，文の最後や，文のまん中に入ってくる形に慣れましょう。

文法用語 過去分詞が名詞を修飾する用法は「過去分詞の形容詞用法」と呼ばれます。過去分詞が，あとに語句を伴わずに1語で名詞を修飾するときは，ふつう過去分詞は名詞の前にきます〈→ p.273〉。

EXERCISE

→答えは別冊18ページ
答え合わせが終わったら，音声に合わせて英文を音読しましょう。

英語にしましょう。(　　) 内の動詞を使ってください。名詞を「うしろから修飾している」ことを意識してください。

1 彼は日本で作られたカメラを買いました。(make)

He bought a camera ________________.

2 彼女は私に，英語で書かれた手紙を見せてくれました。(write)

She showed me a letter ________________.

3 私は 1950 年に撮られた写真を見ました。(take)

I saw a picture ________________.

4 私はケン(Ken)と呼ばれる男の子に会いました。(call)

I met a boy ________________.

5 ヒンディー語はインドで話されている言語です。(speak)

Hindi is a language ________________.

インド：India

6 そこで売られている物は高価です。(sell)

The things ________________ are expensive.

高価な

7 パーティーに招待された人々の何人かは来ませんでした。(invite)

Some of the people ________________
didn't come.

8 これらはブラジルで栽培されているコーヒー豆です。(grow)

These are coffee beans ________________.

ブラジル：Brazil

LESSON 107 「きのう私が読んだ本」など

名詞を修飾する〈主語＋動詞〉／*Noun-Modifying Clauses*

名詞をうしろから修飾するパターンの４番目は，〈主語＋動詞〉のまとまりを，名詞のすぐうしろにくっつけて修飾するパターンです。

たとえば「本」（the book）という名詞を修飾して「きのう私が読んだ本」と言いたいときには，the book I read yesterday とします。〈主語＋動詞〉で始まるまとまり（I read yesterday）が，前の名詞を**うしろから修飾**します。

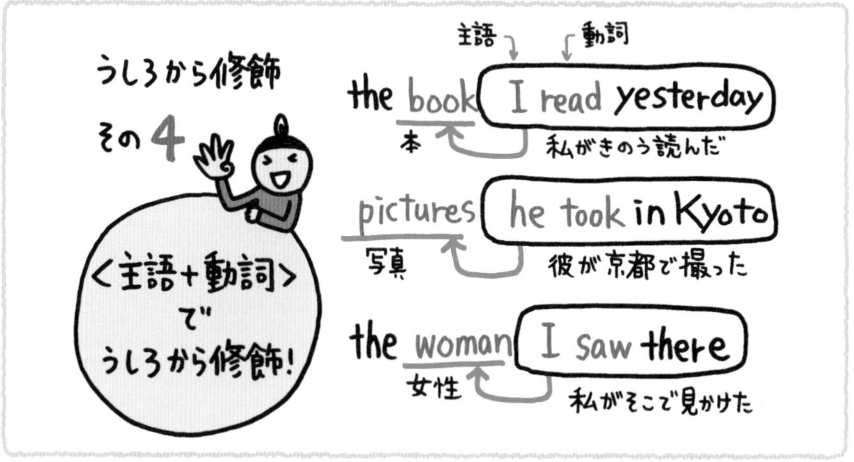

名詞のすぐあとに，それを修飾する〈主語＋動詞〉がくっついています。

I read yesterday（私がきのう読んだ）のような〈主語＋動詞〉のまとまりが，文の最後や，文のまん中に入ってくる形に慣れましょう。

文法用語　〈主語＋動詞〉を含むまとまりを「節」といい，名詞を修飾する節は「形容詞節」と呼ぶことがあります。the book I read の下線部のように，関係代名詞なしで名詞をすぐうしろから修飾する節を「接触節」と呼ぶことがあります。

EXERCISE

→答えは別冊18ページ
答え合わせが終わったら，音声に合わせて英文を音読しましょう。

英語にしましょう。(　　) 内の動詞を使ってください。
名詞を「うしろから修飾している」ことを意識してください。

1 私がきのう読んだ本はおもしろかった。(read)

The book ＿＿＿＿＿＿＿＿＿＿ was interesting.

2 彼が撮った写真は有名になりました。(take)

The picture ＿＿＿＿＿＿＿＿＿＿ became famous.

3 私が会った人たちはとても親切でした。(meet)

The people ＿＿＿＿＿＿＿＿＿＿ were very kind.

4 あなたがほしい物は何でも，私があなたにあげよう。(want)

I'll give you anything ＿＿＿＿＿＿＿＿＿＿ .
何でも

5 私がそこで見かけた男性はスミスさんに似ていました。(see)

The man ＿＿＿＿＿＿＿＿＿＿ looked like Mr. Smith.
～に似ていた

6 これはあなたがきのうなくした鍵ですか。(lose)

Is this the key ＿＿＿＿＿＿＿＿＿＿ ?
lose の過去形：lost

7 これが，私が仕事に使うコンピューターです。(use)

This is the computer ＿＿＿＿＿＿＿＿＿＿ .
仕事に：for work

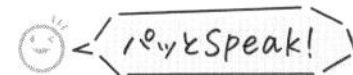

ふきだしの内容を英語で表しましょう。

新しく買った時計を自慢しましょう。

これが，私が買った時計です。

＿＿＿＿＿＿＿＿＿＿

＿＿＿＿＿＿＿＿＿＿

時計：the watch　　買う(buy)の過去形：bought

CHAPTER 19 後置修飾

復習タイム

CHAPTER 19　後置修飾

答えは別冊18ページ

答え合わせが終わったら，音声に合わせて英文を音読しましょう。

1 次の（　　）内から適するものを選び，○で囲みましょう。

1）あそこを歩いている女性はスミスさんです。
The woman (walks / walking / walked) over there is Ms. Smith.

2）ミラー先生はみんなに愛されている教師です。
Ms. Miller is a teacher (loves / loving / loved) by everyone.

3）ニュージーランドで話されている言語は何ですか。
What's the language (speaks / speaking / spoken) in New Zealand?

4）これは何百万人もの人たちに使われているアプリです。
This is an app (uses / using / used) by millions of people.

2 次の（　　）内の語句を並べかえて，英文を完成しましょう。

1）髪の長い女の子がメグです。(long hair / the girl / is / with)

_______________ Meg.

2）机の上の物はすべて私の兄のです。(the desk / the things / are / on)

All _______________ my brother's.

3）これはオーストラリアにいる友達からのプレゼントです。
(Australia / a friend / a present / from / in)

This is _______________.

4）私は100年以上前に建てられたホテルに泊まりました。
(a hotel / I / built / stayed / at)

_______________ over 100 years ago.

over ～をこえて

3 次の日本文を英語にしましょう。(　　)内の動詞を使ってください。

1）ピアノを弾いている男の子はだれですか。(play)

男の子：the boy　ピアノ：the piano

2）私が飛行機で出会った女性は医師でした。(meet)

-- was a doctor.

女性：the woman　飛行機（の機内）で：on the plane

3）あそこで走っている男の子はアンディーです。(run)

-- is Andy.

男の子：the boy　あそこで，むこうで：over there

4）これらは私がロンドンで撮った写真です。(take)

These are --.

写真：pictures　ロンドン：London

5）私は英語で書かれた手紙をもらいました。(write)

I got --.

手紙：a letter

6）私が先週買った本はおもしろかった。(buy)

-- was interesting.

本：the book

名詞を前から修飾する場合

ing形や過去分詞が「１語だけ」で名詞を修飾するときは，ふつうの形容詞と同じように，名詞を前から修飾するのが原則です。

・１語だけなら前から　… a sleeping baby（眠っている赤ちゃん）
　a used car（使われた車→中古車）

「２語以上のまとまり」で修飾するときは，うしろから修飾します。

・２語以上ならうしろから　… a baby sleeping in the bed（ベッドで眠っている赤ちゃん）
　a car used by someone（だれかに使われた車）

LESSON 108 「関係代名詞」とは？ ①

関係代名詞（主格 who）／*Relative Pronoun "who"*

うしろから修飾するパターンの続きです。５つ目は，関係代名詞を使うパターンです。

たとえば，「私には，フランス語を話せる友達がいます。」などと言うときに必要なのが関係代名詞です。

上の文は，もともと次のような２つの文だったと考えてください。

この **←どんな友達かというと，その友達は…** の働きを１語でしているのが関係代名詞 **who** です。who を使えば，①②の文を組み合わせて，次のように自然な１文をつくれます。

I have a friend who can speak French.

関係代名詞 who は，「人」についてうしろから説明を加えるときに使います。関係代名詞は，英語を話す人々にとって，**「ここから先は，前の名詞についての説明ですよ」** という合図となる大切なことばです。

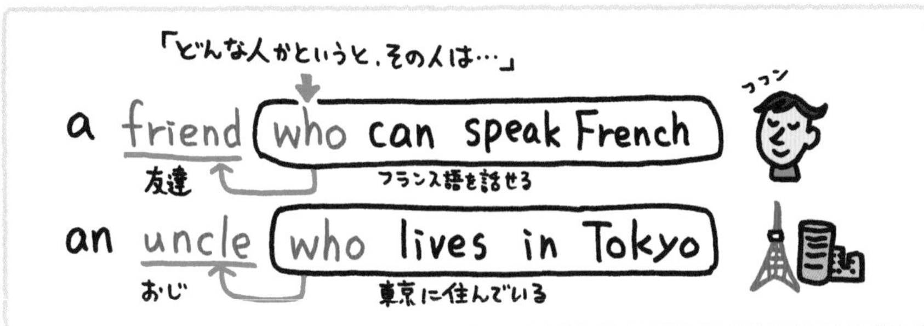

文法用語　関係代名詞の前の名詞（修飾されている名詞）を「先行詞」と呼びます。また，関係代名詞が導く節（関係代名詞から始まる，〈主語＋動詞〉を含むまとまり）は「関係代名詞節」「関係詞節」と呼ぶことがあります。

EXERCISE

答えは別冊18ページ
答え合わせが終わったら，音声に合わせて英文を音読しましょう。

英語にしましょう。「どんな人かというと，その人は…」という意味の関係代名詞 who を使って，説明を加えてください。

1 私はこの写真を撮った男性を知っています。

I know the man ＿＿＿＿＿＿＿＿＿＿＿＿.

2 あなたは，ロシア語を話せる人をだれか知っていますか。

Do you know anyone（だれか） ＿＿＿＿＿＿＿＿＿＿＿＿?

ロシア語：Russian

3 私には料理が得意な友達がいます。

I have a friend ＿＿＿＿＿＿＿＿＿＿＿＿.

～が得意である：be good at ～　料理：cooking

4 architect とは，建物を設計する人です。

An architect（建築家） is a person（人） ＿＿＿＿＿＿＿＿＿＿＿＿.

設計する：design　建物：buildings

5 この表示は，日本語を読めない人たちのためのものです。

This sign（表示，標識） is for people ＿＿＿＿＿＿＿＿＿＿＿＿

＿＿＿＿＿＿＿＿＿＿＿＿.

6 彼女がコンサートでピアノを弾いた女の子です。

She is the girl ＿＿＿＿＿＿＿＿＿＿＿＿.

ピアノ：the piano　コンサートで：at the concert

パッとSpeak! ふきだしの内容を英語で表しましょう。

海外にいる親せきについて紹介しましょう。

オーストラリアに住んでいる
おじがいます。

＿＿＿＿＿＿＿＿＿＿＿＿

＿＿＿＿＿＿＿＿＿＿＿＿

おじ：an uncle　オーストラリア：Australia

LESSON 109「関係代名詞」とは？ ②

関係代名詞（主格 that，which）／*Relative Pronouns "that/which" (Subject)*

前回は，「人」について説明を加える関係代名詞 who について学習しました。今回は「物」についてです。

たとえば「私はウェブサイトを作る会社で働いています。」などの言い方です。

上の文は，もともと次のような2つの文だったと考えてください。

この **←どんな会社かというと，その会社は…** の働きを1語でしているのが関係代名詞 **that** です。that を使えば，①②の文を組み合わせて，次のように自然な1文をつくれます。

I work for a company that makes websites.

that のかわりに **which** を使っても OK です。

I work for a company which makes websites.

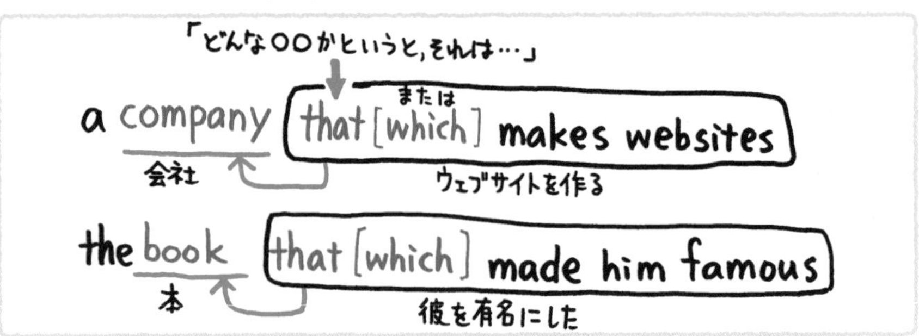

文法用語 関係代名詞が，関係代名詞の節の主語になっているものを「主格の関係代名詞」といいます。主格の関係代名詞のあとには動詞が続きます。主格の関係代名詞は省略できません。

EXERCISE

答えは別冊18ページ
答え合わせが終わったら，音声に合わせて英文を音読しましょう。

英語にしましょう。「どんな○○かというと，それは…」という意味の関係代名詞 that（または which）を使って，説明を加えてください。

1 これは私の人生を変えた本です。

This is a book ＿＿＿＿＿＿＿＿＿＿＿＿＿＿＿＿.

変える：change　人生：life

2 これが彼を有名にした映画です。

This is the movie ＿＿＿＿＿＿＿＿＿＿＿＿＿＿＿＿.

A を B にする：make A B　有名な：famous

3 テーブルの上にあったケーキはどこですか。

Where is the cake ＿＿＿＿＿＿＿＿＿＿＿＿＿＿＿＿?

テーブル：the table

4 駅に行くバスはちょうど出発したところです。

The bus ＿＿＿＿＿＿＿＿＿＿＿＿＿＿＿＿ has just left.

行く：go　駅：the station

5 vending machine とは物を売る機械のことです。

A vending machine is a machine ＿＿＿＿＿＿＿＿＿＿＿＿＿＿＿＿.

自動販売機　機械

売る：sell　物：things

6 これは 10 年前に人気があった歌です。

This is a song ＿＿＿＿＿＿＿＿＿＿＿＿＿＿＿＿.

人気がある：popular

パッとSpeak!　**ふきだしの内容を英語で表しましょう。**

家族が働いている会社を紹介しましょう。

母はおもちゃを作る会社で働いています。

＿＿＿＿＿＿＿＿＿＿＿＿＿＿＿＿

＿＿＿＿＿＿＿＿＿＿＿＿＿＿＿＿

～で働く：work for ～　おもちゃ：toys

LESSON 110 「関係代名詞」とは？ ③

関係代名詞（目的格that，which）／*Relative Pronouns "that/which" (Object)*

ここで復習ですが，p.270 で「きのう私が読んだ本」という言い方を学習しましたね。名詞をうしろから修飾するパターンの４つ目でした。

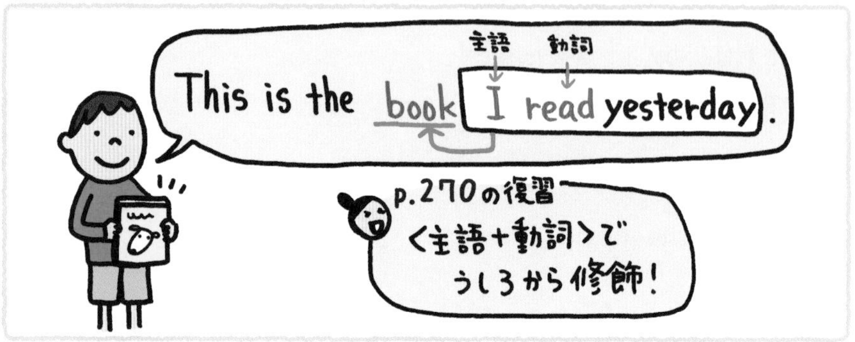

これは，名詞のすぐあとに〈主語＋動詞〉をくっつけて修飾するパターンで，とてもよく使われる自然な言い方です。

でも，上の文を that[which] を使って次のように言う場合もあります。

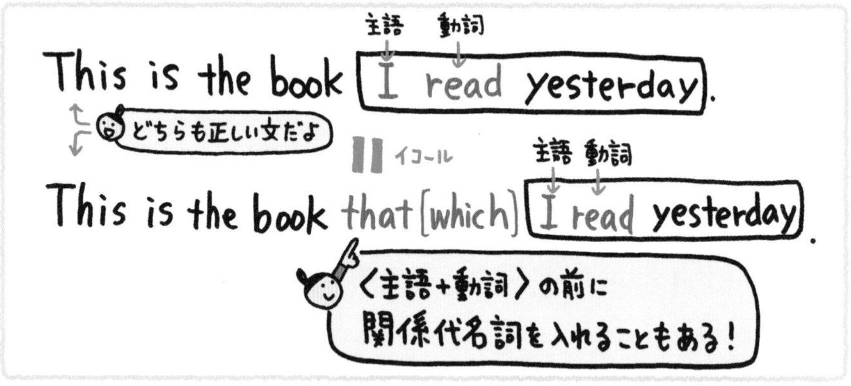

「きのう私が読んだ本」と言うときは，p.270 の言い方で簡単に表現できるので，関係代名詞は別に必要ありません。

しかし，**関係代名詞を使って言う場合もある**ということを覚えておいてください。

関係代名詞は，英語を話す人々にとって，**「ここから先は，前の名詞についての説明ですよ」**という合図となることばでしたね。ですから，文の構造をはっきりさせるために，関係代名詞をあえて入れる場合もあるのです。

文法用語 このレッスンのように，関係代名詞が，関係代名詞の節の目的語になっているものを「目的格の関係代名詞」といいます。目的格の関係代名詞のあとには〈主語＋動詞 ～〉の形が続きます。目的格の関係代名詞は省略できます。

EXERCISE

答えは別冊18ページ
答え合わせが終わったら，音声に合わせて英文を音読しましょう。

英語にしましょう。（これらの文は，関係代名詞を入れなくても正しい文になりますが，今回は関係代名詞を入れてみましょう。）

1 彼が撮った写真は美しかった。

The picture ＿＿＿＿ was beautiful.

2 私がきのう読んだ本はつまらなかった。

The book ＿＿＿＿

was boring.
退屈な

3 これが，私が毎日使う机です。

This is the desk ＿＿＿＿ .

4 私が作ったカレーはどうでしたか。

How was the curry ＿＿＿＿ ?

作る：make

5 これが，私がきのう書いた手紙です。

This is the letter ＿＿＿＿ .

6 これが，私のおじが私にくれたカメラです。

This is the camera ＿＿＿＿ .

おじ：uncle

7 あなたが先週買ったかばんを私に見せて。

Show me the bag ＿＿＿＿

＿＿＿＿ .

8 彼はなくした鍵をさがしています。

He is looking for the keys ＿＿＿＿ .

LESSON 111 関係代名詞の整理

関係代名詞の注意点／*Relative Pronouns (Review)*

これまでに学んだ関係代名詞は **who**, **which**, **that** の3種類です。修飾する名詞が「人」なのか「物」なのかによって使い分けます。

・「人」の場合 … who を使います。（that が使われることもあります。）
・「物」の場合 … that または which を使います。

ここで，関係代名詞を「使っても使わなくてもいい場合」と「どうしても必要な場合」を整理しましょう。（この区別は少し難しいので，迷ったら「使う」ことにしてしまう手もあります。しかし実際は，使わなくてもよいときには使わないほうが多いです。）

使わなくてもいいのは，p.270 で学習した次のようなパターンです。修飾される**名詞のすぐあとに〈主語＋動詞〉**がくっついています。

★関係代名詞を使わなくてもよい（使ってもよい）
…名詞のすぐあとに**〈主語＋動詞〉**がくっついているとき

「私がきのう買った本」　○ the book **I bought** yesterday
　○ the book that[which] **I bought** yesterday

「彼が撮った写真」　○ the picture **he took**
　○ the picture that[which] **he took**

関係代名詞を必ず使わないといけないのは，p.274 ～ 277 で学習した次のようなパターンです。**名詞のすぐあとに動詞や助動詞**が続くと「うしろから修飾している」ことがわからなくなってしまうので，関係代名詞を使う必要があります。

★関係代名詞が必要（必ず使わないとダメ）
…名詞のすぐあとに主語がなく，**動詞**や**助動詞**が続いてしまうとき

「フランス語を話せる友達」　× a friend **can** speak French ←まちがい！
↑下線部が「うしろから修飾している」ことが相手に伝わらない
　○ a friend **who can** speak French

「おもちゃを作る会社」　× a company **makes** toys ←まちがい！
↑下線部が「うしろから修飾している」ことが相手に伝わらない
　○ a company **that[which] makes** toys

くわしく　人が先行詞のとき，whom という目的格の関係代名詞が使われることがありますが，かたい言い方なので会話ではほとんど使われません。目的格なのでよく省略されるうえ，関係代名詞 that や who で代用することができます。

EXERCISE

答えは別冊18ページ
答え合わせが終わったら，音声に合わせて英文を音読しましょう。

下線部がこのままでOKなら○を，まちがっていれば×を（　）内に書きましょう。×の場合には，正しい形を下に書いてください。

（例）私には，フランス語を話せる友達がいます。

I have a friend can speak French.（ × ）
who can speak French

1 これは私がきのう買った本です。

This is a book I bought yesterday.（　）

2 私にはテニスがとても得意な友達がいます。

I have a friend is very good at tennis.（　）

3 私はこの本を書いた著者に会いたいです。

I want to meet the author wrote this book.（　）
著者

4 私がそこで見かけた女性は雑誌を読んでいました。

The woman I saw there was reading a magazine.（　）
雑誌

5 これは私の祖父が私にくれた本です。

This is a book that my grandfather gave me.（　）

6 これが彼女を有名にした本です。

This is the book made her famous.（　）

復習タイム

答えは別冊19ページ

答え合わせが終わったら，音声に合わせて英文を音読しましょう。

CHAPTER 20　関係代名詞

1　次の（　　）内の語句を並べかえて，英文を完成しましょう。

1）あなたがきのう見た映画はどうでしたか。
(the movie / you / how / was / saw)

____________________________ yesterday?

2）これはあなたを幸せにする映画です。
(a movie / you / happy / will / that / make)

This is ____________________________ .

3）その試合に勝った男の子はたったの6歳でした。
(the game / the boy / who / won / was)

____________________________ only six years old.

won：win（勝つ）の過去形

4）これは私が今までに見た中で最高の映画です。
(movie / I've / that / the best / ever seen)

This is ____________________________ .

ever：今までに

5）あなたがいちばん会いたい俳優はだれですか。
(you / the actor / want / meet / to)

Who is ____________________________ the most?

the actor：俳優　　meet：会う

2 次の日本文を英語にしましょう。

1）私には３か国語が話せる友達がいます。

I have --.

友達：a friend　３か国語：three languages

2）これが彼を有名にした本です。

This is --.

本：the book　有名な：famous

3）だれか日本語を話せる人はいますか。

Is there --?

（疑問文で）だれか：anyone

4）彼女がこの絵を描いた芸術家です。

She is the artist --.

（絵の具を使って）描く：paint　絵：picture

5）私が先週あなたに見せた写真を覚えていますか。

Do you remember --?

写真：the picture

6）彼が，私がパーティーで会った男の人です。

He is --.

会う：meet　パーティーで：at the party

うしろから修飾するパターンのまとめ

日本語では，名詞を修飾するときはいつも前から修飾します。しかし英語では，２語以上のまとまりが名詞を修飾するときは，基本的にうしろから修飾します。これまでに学習したパターンを確認しましょう。

- to＋動詞の原形 … homework to do （するべき宿題）
- 前置詞～ … the book on the desk （机の上の本）
- ing形～ … the girl playing the piano （ピアノを弾いている女の子）
- 過去分詞～ … a picture taken last year （去年撮られた写真）
- 主語＋動詞 … the book I read yesterday （私がきのう読んだ本）
- 関係代名詞 … a friend who lives in Tokyo （東京に住んでいる友達）
  … a company that[which] makes toys （おもちゃを作る会社）

LESSON 112

文の中の疑問文

間接疑問／*Indirect Questions*

whatなどの疑問詞で始まる疑問文は，別の文の中に組み込まれると形が変わります。たとえば「私はこれが何なのか知りません」は，I don't know what this is. と言います。

× I don't know what is this. とは言いません。疑問詞のあとは，this isのように**〈主語＋動詞〉の語順**になります。

doやdoes，didなどを使った疑問文の場合も同じで，別の文の中に入ると，疑問詞のあとは〈主語＋動詞〉の語順になります。（doやdoes，didなどは使いません。）

●文法用語 疑問詞で始まる疑問文が，別の文の一部になった形を「間接疑問（文）」といいます。I don't know what this is. の下線部は名詞の働きをする「名詞節」で，前の動詞knowの目的語になっています。

EXERCISE

答えは別冊19ページ
答え合わせが終わったら，音声に合わせて英文を音読しましょう。

英語にしましょう。

1 これが何なのか知っていますか。

Do you know ＿＿＿＿＿＿＿＿＿＿＿＿＿＿ ?

（参考）これは何ですか。：What is this?

2 彼女がどこにいるか知っていますか。

Do you know ＿＿＿＿＿＿＿＿＿＿＿＿＿＿ ?

（参考）彼女はどこにいますか。：Where is she?

3 私はなぜ彼が怒っているのかわかりません。

I don't know ＿＿＿＿＿＿＿＿＿＿＿＿＿＿ .

（参考）なぜ彼は怒っているのですか。：Why is he angry?

4 私はノア(Noah)がどこに住んでいるのか知りません。

I don't know ＿＿＿＿＿＿＿＿＿＿＿＿＿＿ .

（参考）ノアはどこに住んでいますか。：Where does Noah live?

5 私は彼女が何色が好きなのか知りません。

I don't know ＿＿＿＿＿＿＿＿＿＿＿＿＿＿ .

（参考）彼女は何色が好きですか。：What color does she like?

6 彼はアリス（Alice）がどこで働いているのか知りません。

He doesn't know ＿＿＿＿＿＿＿＿＿＿＿＿＿＿ .

（参考）アリスはどこで働いていますか。：Where does Alice work?

7 彼がいつ来る予定かわかりますか。

Do you know ＿＿＿＿＿＿＿＿＿＿＿＿＿＿ ?

（参考）彼はいつ来る予定ですか。：When is he going to come?

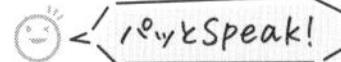

ふきだしの内容を英語で表しましょう。

どこの出身か，ていねいに聞いてみましょう。

どちらのご出身か聞いても
よろしいですか。

＿＿＿＿＿＿＿＿＿＿＿＿＿＿

May I ask（聞いてもよろしいですか）で始めましょう。

LESSON 113

「仮定法」とは？

仮定法の表す意味／*What is "Subjunctive"?*

今回からは仮定法について学習します。

仮定法とは，**現実とちがうこと**を言うときの形です。現実とちがう願望や，現実にはありえない仮定は，**現在のことでも過去形**で言います。これが仮定法です。

過去形にすることで，「現実にはありえないのですが」「現実とはちがうのですが」という前提で話していることが相手に伝わるのです。

「仮定」といっても，たとえばif（もし～ならば）を使う文がすべて仮定法というわけではありません。現在のことなのにわざと**過去形**を使うことによって，今の現実に反することだと伝える形が仮定法です。

くわしい使い方は次回から学習していきましょう。

文法用語 このように，現在のことを過去形で言う仮定法を「仮定法過去」といい，今の現実に反することや願望を言っているというサインになります。p.288のようにifのない文でも使われることがあります。

EXERCISE

答えは別冊19ページ
答え合わせが終わったら，音声に合わせて英文を音読しましょう。

次の英文の意味合いとして適切なほうをA，Bから選び，記号を○で囲みましょう。

1 If I have time, I'll call you.

A．もし時間があれば，あなたに電話しますね（時間はあるかもしれないし，ないかもしれない）。

B．もし時間があれば，あなたに電話するのに（でも現実には時間がないから電話はできない）。

2 If I had time, I would call you.

A．もし時間があれば，あなたに電話しますね（時間はあるかもしれないし，ないかもしれない）。

B．もし時間があれば，あなたに電話するのに（でも現実には時間がないから電話はできない）。

3 I hope I can see you soon.

A．あなたに近いうちに会えたらいいな（会えるかもしれないし，会えないかもしれない）。

B．あなたに近いうちに会えたらいいのに（でも現実には会えない）。

4 I wish I could see you soon.

A．あなたに近いうちに会えたらいいな（会えるかもしれないし，会えないかもしれない）。

B．あなたに近いうちに会えたらいいのに（でも現実には会えない）。

LESSON 114 「～だったらいいのに」

仮定法 / *Subjunctive "I wish ～."*

過去形を使うことによって，今の現実とはちがうことを言うのが仮定法でしたね。

I wish（私は願います）のあとに仮定法を使って，**「～だったらいいのに」**という願望を表すことができます。I wish のあとの動詞や助動詞は過去形にします。

仮定法なので，**「でも，今の現実はそうではない」**ということを伝えています。

I wish のあとに be 動詞がくることもありますが，多くの場合，was のかわりに **were** が使われます。これは仮定法だけの特別なルールです。

くわしく　仮定法では was のかわりに were を使うのが正式とされますが，くだけた話しことばでは I wish I was rich.（私がお金持ちだったらいいのに。）のように was が使われる場合もあります。

EXERCISE

答えは別冊19ページ
答え合わせが終わったら，音声に合わせて英文を音読しましょう。

英語にしましょう。（　　）内の英文を，現実ではないことを表す形で表してください。

（例）たくさんのお金を持っていたらいいのに。
（I have a lot of money.）
→ I wish I had a lot of money.

1 私がここに住んでいたらいいのに。
（I live here.）
→

2 プライベートジェットを持っていたらいいのに。
（I have a private jet.）
→

3 私の犬と話せたらいいのに。
（I can talk with my dog.）
→

4 鳥だったらいいのに。
（I am a bird.）
→

5 今アメリカにいればいいのに。
（I am in the U.S. now.）
→

LESSON 115 「もし私があなただったら」

仮定法 / *Subjunctive "If I were you, I would ～."*

過去形を使うことによって，今の現実とちがう願望や，現実ではありえないことを言うのが仮定法でしたね。

仮定法では多くの場合，was のかわりに were が使われます。これは仮定法だけの特別なルールです。

If I were you, ～. で，**「もし私があなただったら～」**という意味を表します。現実にはありえないことを仮定しているので，仮定法（過去形）を使うのですね。

If I were you のあとの「(私なら)～するでしょう」の部分では，will の過去形 would を使って **I would ～**の形で言います。

英会話 会話では，If I were you の部分を省略して I wouldn't do that.（私だったらそれはしません。）のように言うことがあります。相手の立場に立って，控えめにアドバイスするときに使われます。

EXERCISE

答えは別冊19ページ
答え合わせが終わったら，音声に合わせて英文を音読しましょう。

英語にしましょう。

1　もし私があなただったら，タクシーに乗るでしょう。

タクシーに乗る：take a taxi

2　もし私があなただったら，京都を訪れるでしょう。

3　もし私があなただったら，助けを求めるでしょう。

助けを求める：ask for help

4　もし私があなただったら，１人でそこには行かないでしょう。

１人で：alone

5　もし私があなただったら，彼を信用しないでしょう。

信用する：trust

LESSON 116 # 「もし〜だったら」

仮定法 / *Subjunctive "If I had ..., I would 〜."*

過去形を使うことによって，今の現実とはちがうことやありえないことを言うのが仮定法でしたね。たとえば「もし私があなただったら〜」は If I were you, 〜. と言えばいいのでしたね。

If I were you の were のかわりに，いろいろな**動詞の過去形**を使うことで，さまざまな仮定を表すことができます。

If のあとに助動詞を使うときは，If I could play the piano, 〜.（もし私がピアノを弾けたら〜）のように助動詞を過去形にします。

くわしく　仮定法の文の後半では，would だけでなく，ほかの助動詞の過去形（could, might など）が使われることもあります。
（例）If I had a plane, I could 〜.（もし私が飛行機を持っていたら，〜できるのに。）

EXERCISE

答えは別冊19ページ
答え合わせが終わったら，音声に合わせて英文を音読しましょう。

次の文は，現実とはちがうことを仮定して言っています。英語にしましょう。

1　もし今日晴れていたら，私は釣りに行くのに。

晴れた：sunny　釣りに行く：go fishing

2　もし私がもっとお金を持っていたら，もう１つ買うのに。

もう１つ買う：buy one more

3　もし私に時間があれば行くのに。

時間：time

4　もし私がハワイに住んでいたら，毎日ビーチに行くのに。

ハワイ：Hawaii　ビーチ：the beach

5　おめでとうございます！　あなたはこの本をやり終えました。
Congratulations! You have finished this book.
今やあなたは英語の基礎をマスターしています。
Now you have mastered the basics of English.
（mastered：マスターする　basics：基礎）
あなたは世界じゅうの人たちと話すことができます。
You can talk with people all over the world.
もしあなたがどこにでも行けたなら，どこに行きますか。
If you could go anywhere, ＿＿＿＿＿＿＿＿＿＿？
（anywhere：どこにでも）

復習タイム

CHAPTER 21　間接疑問・仮定法

答えは別冊19ページ

答え合わせが終わったら，音声に合わせて英文を音読しましょう。

2-63

1　次の（　　）内の語句を並べかえて，英文を完成しましょう。

1）私たちはこれが何なのか知りません。
（ know / this / what / we / don't / is ）

2）私は彼女がどこに住んでいるか知りません。
（ know / she / where / I / lives / don't ）

3）あなたは彼がどこの出身か知っていますか。
（ where / you / he / is / know / from / do ）

4）スマホを持っていたらいいのに。
（ I / I / smartphone / a / had / wish ）

5）車を運転できたらいいのに。
（ I / I / drive / car / wish / a / could ）

6）ここにいられたらいいのに。
（ I / I / could / stay / here / wish ）

7）泳ぎが得意だったらいいのに。
（ I / I / wish / swimming / were / at / good ）

8）もし私が鳥だったら，そこに飛んでいけるのに。
（ I / a / bird / if / were ）

------------------------------------, I could fly there.

2 次の日本文を英語にしましょう。仮定法を使って表してください。

1）中国語が話せたらいいのに。

中国語：Chinese

2）お金持ちだったらいいのに。

お金持ちの：rich

3）もし食べ物を持っていたら，あなたにあげるでしょう。

食べ物：some food

4）もし私があなただったら，急ぐでしょう。

急ぐ：hurry

5）もし私があなただったら，それはしないでしょう。

それをする：do that

「ひとつひとつ」を終えたあとの英語の勉強法

本書をひととおりやり終えたら，中学校範囲の文法事項については，すべて学習が終わったことになります。どんなに長い文章や大人どうしの会話も，そのほとんどが中学校で習う文法でできています。これらは一生使える英語力の基礎です。大きな自信をもってください。

あとは，市販の単語集などさまざまなものを活用して，単語力をつけていきましょう。単語を覚えるときには音声が特に大切です。「使う」ことを意識しながら，必ず発音やアクセントを確認して，口に出して覚えるようにしてください。

そのようにして単語力をつけていけば，英語で聞いたり話したりできることや，読んだり書いたりできることのレベルがみるみる上がっていきます。わからないときはいつでもこの本にもどって大丈夫です。これからも楽しく英語学習を続けていきましょう。

基礎ができたら，もっとくわしく。

便利な「付加疑問」を使おう

Tag Questions

「～ですよね？」のように，相手に軽く同意を求めたり，念を押したりするときに使うのが付加疑問です。

付加疑問は，文の最後につけ加える２語の疑問形です。コンマ（,）のあとに〈否定の短縮形＋主語？〉を続けます。付加疑問の主語は，いつも代名詞を使います。

● **be動詞の文のとき** … be動詞の否定形を使う

Ann is a nice girl, isn't she?（アンはすてきな女の子ですよね。）

You're tired, aren't you?（あなたは疲れていますよね。）

It was a very exciting game, wasn't it?（とてもわくわくする試合でしたよね。）

● **一般動詞の文のとき** … do/does/did の否定形を使う

Kenta looks happy, doesn't he?（健太はうれしそうに見えますよね。）

You want to go home, don't you?（あなたは家に帰りたいのですよね。）

She went to the bank, didn't she?（彼女は銀行に行ったのですよね。）

● **助動詞の文のとき** … 助動詞の否定形を使う

Bob can speak Spanish, can't he?（ボブはスペイン語を話せるのですよね。）

Ann will be back soon, won't she?（アンはすぐに戻ってきますよね。）

● **現在完了形の文のとき** … have/has の否定形を使う

You've already finished your homework, haven't you?
（あなたはもう宿題を終わらせたのですよね。）

前の文が否定文のときは，付加疑問は肯定の形にします。

Ann won't be back, will she?（アンは戻ってこないのですよね。）

カンタンな「感嘆文」を知ろう

Exclamations

感嘆文は,「なんて〜なのでしょう！」のように，感激や喜び，驚きを表現するときに使われる特殊な文です。文の終わりには感嘆符(！)(エクスクラメーション・マーク）をつけます。

● How の感嘆文

〈How ＋形容詞＋主語＋動詞！〉で表します。

How beautiful this picture is! (この絵はなんて美しいのでしょう。)

How lucky you are! (あなたはなんて幸運なのでしょう。)

何について話しているのかがわかっている場合には，最後の〈主語＋動詞〉はよく省略されます。

How beautiful! (なんて美しいのでしょう。)

How lucky! (なんて幸運なのでしょう。)

形容詞ではなく副詞が使われることもあります。

How beautifully she sings! (彼女はなんて美しく歌うのでしょう。)

● What の感嘆文

〈What (a[an]) ＋形容詞＋名詞＋主語＋動詞！〉で表します。

What a beautiful picture this is! (これはなんて美しい絵なのでしょう。)

What a smart boy he is! (彼はなんて頭のいい男の子なのでしょう。)

最後の〈主語＋動詞〉はよく省略されます。

What a beautiful picture! (なんて美しい絵なのでしょう。)

What a smart boy! (なんて頭のいい男の子なのでしょう。)

数の言い方

基数

「1つ，2つ…」と個数を表す

1	one
2	two
3	three
4	four
5	five
6	six
7	seven
8	eight
9	nine
10	ten
11	eleven
12	twelve
13	thirteen
14	fourteen
15	fifteen
16	sixteen
17	seventeen
18	eighteen
19	nineteen
20	twenty
21	twenty-one
30	thirty
40	forty
50	fifty
60	sixty
70	seventy
80	eighty
90	ninety
100	one hundred
1,000	one thousand

序数

「1番目，2番目…」と順序を表す

1番目	first
2番目	second
3番目	third
4番目	fourth
5番目	fifth
6番目	sixth
7番目	seventh
8番目	eighth
9番目	ninth
10番目	tenth
11番目	eleventh
12番目	twelfth
13番目	thirteenth
14番目	fourteenth
15番目	fifteenth
16番目	sixteenth
17番目	seventeenth
18番目	eighteenth
19番目	nineteenth
20番目	twentieth
21番目	twenty-first
30番目	thirtieth
40番目	fortieth
50番目	fiftieth
60番目	sixtieth
70番目	seventieth
80番目	eightieth
90番目	ninetieth
100番目	one hundredth
1,000番目	one thousandth

● 21 以降は，10 の位の数（ twenty 〜 ninety ）と 1 の位の数（ one 〜 nine ）をハイフン（ - ）でつないで表します。

- 21 → twenty-one
- 22 → twenty-two
- 23 → twenty-three
- 24 → twenty-four
- 25 → twenty-five
- 31 → thirty-one
- 45 → forty-five
- 99 → ninety-nine

● 100 の位は hundred を使います。（hundred のあとの and は，あってもなくてもかまいません。）

- 101 → one hundred (and) one
- 115 → one hundred (and) fifteen
- 120 → one hundred (and) twenty
- 198 → one hundred (and) ninety-eight
- 250 → two hundred (and) fifty
- 543 → five hundred (and) forty-three

● 1,000 の位は thousand を使います。

- 1,000 → one thousand
- 1,200 → one thousand two hundred
- 2,000 → two thousand
- 2,012 → two thousand twelve
- 2,940 → two thousand nine hundred (and) forty
- 10,000 → ten thousand
- 20,000 → twenty thousand
- 100,000 → one hundred thousand

曜日の言い方

日曜日	Sunday
月曜日	Monday
火曜日	Tuesday
水曜日	Wednesday
木曜日	Thursday
金曜日	Friday
土曜日	Saturday

月の言い方

1 月	January
2 月	February
3 月	March
4 月	April
5 月	May
6 月	June
7 月	July
8 月	August
9 月	September
10 月	October
11 月	November
12 月	December

● 曜日名と月名の最初の文字は，いつも大文字で書きます。

●「○月○日」は，ふつう May 1（5 月 1 日）のように書きます。日付は，1 のように書かれていても first のように序数で読みます。（日付の序数の前に the をつける場合もあります。）

- 1 月 15 日 → January 15（ January fifteenth と読む ）
- 6 月 23 日 → June 23（ June twenty-third と読む ）
- 10 月 5 日 → October 5（ October fifth と読む ）

動詞の語形変化一覧表

重要動詞の意味と変化形を確認しましょう。

・★印が不規則動詞です。不規則な変化形は赤字になっています。
・規則変化で，つづりに特に注意すべき変化形は**太字**になっています。

音声は不規則動詞（★印）のみが収録されています。不規則動詞の過去形・過去分詞の発音を確認しましょう。（原形－過去形－過去分詞の順で読まれます。）

2-68

基本の変化…

原形	意味	3単現	過去形	過去分詞	ing形
		↓sをつける	↓edをつける（eで終わる語にはdだけをつける）		↓ingをつける（eで終わる語はeをとってing）
agree	同意する	agrees	agreed	agreed	**agreeing** eをとらずにing
answer	答える	answers	answered	answered	answering
arrive	到着する	arrives	arrived	arrived	arriving
ask	尋ねる	asks	asked	asked	asking
★be	（be動詞）	am, are, is	was, were	been	being
★become	～になる	becomes	became	become	becoming
★begin	始まる	begins	began	begun	**beginning** nを重ねる
borrow	借りる	borrows	borrowed	borrowed	borrowing
★break	こわす	breaks	broke	broken	breaking
★bring	持ってくる	brings	brought	brought	bringing
★build	建てる	builds	built	built	building
★buy	買う	buys	bought	bought	buying
call	呼ぶ，電話する	calls	called	called	calling
carry	運ぶ	**carries** yをiにかえてes	**carried** yをiにかえてed	**carried**	carrying
★catch	つかまえる	**catches** esをつける	caught	caught	catching
change	変える	changes	changed	changed	changing
★choose	選ぶ	chooses	chose	chosen	choosing
clean	そうじする	cleans	cleaned	cleaned	cleaning
close	閉じる	closes	closed	closed	closing
★come	来る	comes	came	come	coming
cook	料理する	cooks	cooked	cooked	cooking
cry	泣く，さけぶ	**cries** yをiにかえてes	**cried** yをiにかえてed	**cried**	crying
★cut	切る	cuts	cut	cut	**cutting** tを重ねる
decide	決める	decides	decided	decided	deciding
die	死ぬ	dies	died	died	**dying** ieをyにかえてing
★do	する	**does** esをつける	did	done	doing

原形	意味	3単現	過去形	過去分詞	ing形
★draw	（絵を）描く	draws	drew	drawn	drawing
★drink	飲む	drinks	drank	drunk	drinking
★drive	運転する	drives	drove	driven	driving
★eat	食べる	eats	ate	eaten	eating
enjoy	楽しむ	enjoys	enjoyed	enjoyed	enjoying
explain	説明する	explains	explained	explained	explaining
★fall	落ちる	falls	fell	fallen	falling
★feel	感じる	feels	felt	felt	feeling
★find	見つける	finds	found	found	finding
finish	終える	**finishes** esをつける	finished	finished	finishing
★fly	飛ぶ	**flies** yをiにかえてes	flew	flown	flying
★forget	忘れる	forgets	forgot	forgotten	**forgetting** tを重ねる
★get	手に入れる	gets	got	gotten	**getting** tを重ねる
★give	与える	gives	gave	given	giving
★go	行く	**goes** esをつける	went	gone	going
★grow	成長する	grows	grew	grown	growing
happen	起こる	happens	happened	happened	happening
★have	持っている	has	had	had	having
★hear	聞こえる	hears	heard	heard	hearing
help	助ける，手伝う	helps	helped	helped	helping
★hit	打つ	hits	hit	hit	**hitting** tを重ねる
★hold	持つ，開催する	holds	held	held	holding
hope	望む	hopes	hoped	hoped	hoping
hurry	急ぐ	**hurries** yをiにかえてes	**hurried** yをiにかえてed	**hurried**	hurrying
introduce	紹介する	introduces	introduced	introduced	introducing
invent	発明する	invents	invented	invented	inventing
invite	招待する	invites	invited	invited	inviting
join	参加する	joins	joined	joined	joining
★keep	保つ	keeps	kept	kept	keeping
kill	殺す	kills	killed	killed	killing
★know	知っている	knows	knew	known	knowing
learn	習う，覚える	learns	learned	learned	learning
★leave	去る，出発する	leaves	left	left	leaving
★lend	貸す	lends	lent	lent	lending

原形	意味	3単現	過去形	過去分詞	ing形
like	好きである	likes	liked	liked	liking
listen	聞く	listens	listened	listened	listening
live	住む	lives	lived	lived	living
look	見る，～に見える	looks	looked	looked	looking
★lose	失う，負ける	loses	lost	lost	losing
love	愛する	loves	loved	loved	loving
★make	作る	makes	made	made	making
★mean	意味する	means	meant	meant	meaning
★meet	会う	meets	met	met	meeting
miss	のがす	**misses** esをつける	missed	missed	missing
move	動かす	moves	moved	moved	moving
name	名づける	names	named	named	naming
need	必要とする	needs	needed	needed	needing
open	開ける	opens	opened	opened	opening
paint	（絵の具で）描く	paints	painted	painted	painting
plan	計画する	plans	**planned** nを重ねる	**planned**	**planning** nを重ねる
play	（スポーツを）する	plays	played	played	playing
practice	練習する	practices	practiced	practiced	practicing
★put	置く	puts	put	put	**putting** tを重ねる
★read	読む	reads	read	read	reading
receive	受け取る	receives	received	received	receiving
remember	覚えている	remembers	remembered	remembered	remembering
return	帰る	returns	returned	returned	returning
★ride	乗る	rides	rode	ridden	riding
★run	走る	runs	ran	run	**running** nを重ねる
save	救う	saves	saved	saved	saving
★say	言う	says	said	said	saying
★see	見える	sees	saw	seen	seeing
★sell	売る	sells	sold	sold	selling
★send	送る	sends	sent	sent	sending
★show	見せる	shows	showed	shown	showing
★sing	歌う	sings	sang	sung	singing
★sit	すわる	sits	sat	sat	**sitting** tを重ねる
★sleep	眠る	sleeps	slept	slept	sleeping

原形	意味	3単現	過去形	過去分詞	ing形
smell	～のにおいがする	smells	smelled	smelled	smelling
sound	～に聞こえる	sounds	sounded	sounded	sounding
★speak	話す	speaks	spoke	spoken	speaking
★spend	過ごす	spends	spent	spent	spending
★stand	立つ	stands	stood	stood	standing
start	始める	starts	started	started	starting
stay	滞在する	stays	stayed	stayed	staying
stop	止める	stops	**stopped** pを重ねる	**stopped**	**stopping** pを重ねる
study	勉強する	**studies** yをiにかえてes	**studied** yをiにかえてed	**studied**	studying
★swim	泳ぐ	swims	swam	swum	**swimming** mを重ねる
★take	取る	takes	took	taken	taking
talk	話す	talks	talked	talked	talking
taste	～の味がする	tastes	tasted	tasted	tasting
★teach	教える	**teaches** esをつける	taught	taught	teaching
★tell	伝える，言う	tells	told	told	telling
★think	思う，考える	thinks	thought	thought	thinking
touch	さわる	**touches** esをつける	touched	touched	touching
try	やってみる	**tries** yをiにかえてes	**tried** yをiにかえてed	**tried**	trying
turn	曲がる	turns	turned	turned	turning
★understand	理解する	understands	understood	understood	understanding
use	使う	uses	used	used	using
visit	訪問する	visits	visited	visited	visiting
wait	待つ	waits	waited	waited	waiting
walk	歩く	walks	walked	walked	walking
want	ほしがる	wants	wanted	wanted	wanting
wash	洗う	**washes** esをつける	washed	washed	washing
watch	見る	**watches** esをつける	watched	watched	watching
★wear	着ている	wears	wore	worn	wearing
★win	勝つ	wins	won	won	**winning** nを重ねる
work	働く	works	worked	worked	working
worry	心配する	**worries** yをiにかえてes	**worried** yをiにかえてed	**worried**	worrying
★write	書く	writes	wrote	written	writing

用語さくいん

★数字はページ数です。「下」は，そのページの下の「文法用語」「くわしく」などを見てください。

ABCDE

a
- aとan …… 90
- aとtheの使い分け …… 105

a few …… 104
ago …… 116
a little …… 104
a lot of ～ …… 104
am …… 18
am, are, is の整理 …… 24
am, are, is の使い分け …… 18, 20
any other ～ …… 218下
are …… 18, 22
aren't …… 56
Are you ～? …… 66
Are you ～?などへの答え方 …… 68
as ～ as … …… 216
ask 人 to ～ …… 258
at …… 134
AをBと呼ぶ …… 200
AをBにする …… 200
be動詞
- be動詞とは …… 16
- be動詞の過去形 …… 126
- be動詞の命令文 …… 103

be going to …… 136
because …… 188
become(SVCの文) …… 196
better, best …… 212, 221
by(受け身) …… 222下
C(補語) …… 206
call(SVOCの文) …… 200
can …… 148
- canの否定文 …… 148
- canの疑問文 …… 150
- Can I ～? …… 152
- Can you ～?(依頼) …… 152

complement …… 206
Could you ～?(依頼) …… 154
didn't …… 120
Do you ～? …… 70
Does ～? …… 72
doesn't …… 60
don't …… 58
Don't ～. …… 98
don't have to …… 162
ed のつけ方 …… 118
er, est …… 212
ever(現在完了形) …… 240

FGHIJ

give(SVOOの文) …… 198
gonna …… 138下
have been to ～ …… 238
have to …… 160
- have toの否定文･疑問文 …… 162
- have toとmustのちがい …… 164下

haveのいろいろな意味 …… 41
he …… 42
help(原形不定詞の文) …… 260
her(彼女の, 所有格) …… 44
her(彼女を, 目的格) …… 100
hers …… 89
he's …… 20
him …… 100
his(彼の, 所有格) …… 44
his(彼のもの, 所有代名詞) …… 89
how …… 86
- How long ～? …… 94
- How many ～? …… 94
- How many times ～? …… 249
- How much ～? …… 94
- How old ～? …… 94
- How tall ～? …… 94

how to ～ …… 252
- Howの感嘆文 …… 297

I …… 42
I'd like ～. …… 178
if …… 188, 286
I'm …… 18
in …… 134
ing形
- 現在進行形 …… 106, 108
- 動名詞 …… 176
- 名詞を修飾する現在分詞 …… 266

is …… 20
Is ～? …… 66
isn't …… 56
it …… 42
its …… 44下
It is … to ～. …… 250

KLMNO

last …… 116
let(原形不定詞の文) …… 260
Let's ～. …… 98
like ～ better …… 221
like ～ the best …… 221
look(SVCの文) …… 196
make(SVOCの文) …… 200
make(原形不定詞の文) …… 260
many …… 104
May I ～? …… 156
me …… 100
might …… 147
mine …… 89
more, most …… 214
much …… 104
must …… 164
my …… 44
name(SVOCの文) …… 200
never(現在完了形) …… 240
not as ～ as … …… 216

not to ～ ………… 258下
O(目的語) ………… 206
object ………… 206
on ………… 134
our ………… 44
ours ………… 89

PQRST

please(命令文) ………… 96
's ………… 44
Shall I[we] ～? ………… 158
she ………… 42
she's ………… 20
should ………… 167
show(SVOOの文) ………… 198
show 人 that ～ ………… 202
some ………… 104
subject ………… 206
S(主語) ………… 206
SVの文 ………… 206
SVCの文 ………… 16下, 206
SVOの文 ………… 28下, 207
SVOCの文 ………… 200下, 207
SVOOの文 ………… 198下, 207
take(時間がかかる) ………… 263
tell 人 that ～ ………… 202
tell 人 to ～ ………… 258
than ………… 208
　than any other ～ ………… 218下
that
　指示代名詞(あれ) ………… 20
　接続詞 ………… 184
　関係代名詞 ………… 276, 278
that's ………… 20
the(aとtheの使い分け) ………… 105
their ………… 44
theirs ………… 89
them ………… 100
There is ～. ………… 192
There is ～.の疑問文 ………… 194
they ………… 42

UVWXYZ

us ………… 100
V(動詞) ………… 206
want 人 to ～ ………… 256
was, were ………… 126
we ………… 42
what
　What is ～? ………… 78
　What do ～? ………… 82
　What did ～? ………… 124
　What day ～? ………… 80
　What time ～? ………… 80
　What kind of ～? ………… 82下
　what to ～ ………… 254
　Whatの感嘆文 ………… 297
when
　疑問詞(いつ) ………… 84
　接続詞(～のとき) ………… 186
　when to ～ ………… 254
where ………… 84
　where to ～ ………… 254
which
　疑問詞(どれ, どちらの) ………… 84
　関係代名詞 ………… 276, 278
who
　疑問詞(だれ) ………… 84
　関係代名詞 ………… 274
whom ………… 280下
whose ………… 89
will ………… 142
　willの否定文・疑問文 ………… 144
　Will you ～?(依頼) ………… 156
won't ………… 144
would
　would like ………… 178
　Would you ～? ………… 156
　Would you like ～? ………… 180
yet(現在完了形) ………… 242
you ………… 42
your ………… 44
you're ………… 18
yours ………… 89

あ

アポストロフィー ………… 18
アルファベット ………… 12
１人称 ………… 30
一般動詞
　一般動詞とは ………… 28
　一般動詞の過去形 ………… 116
依頼する表現 ………… 152, 154, 156
受け身 ………… 222
　受け身の否定文 ………… 226
　受け身の疑問文 ………… 226
　受け身の文とふつうの文 228
英文の書き方 ………… 13
大文字 ………… 12

か

格変化 ………… 100下
過去
　過去形(一般動詞) 116, 118
　過去形(be動詞) ………… 126
　過去進行形 ………… 128
　過去の否定文(一般動詞)
　………… 120
　過去の疑問文(一般動詞)
　………… 122
　過去の文の整理 ………… 130
　過去を表す語句 ………… 116
過去進行形 ………… 128
過去分詞(受け身) ………… 224
過去分詞(形容詞用法) ………… 268
可算名詞 ………… 104
数の言い方 ………… 298
数をたずねる文 ………… 94
数えられない名詞 ………… 92, 104
数えられる名詞 ………… 104
仮定法 ………… 286
仮定法過去 ………… 286下
仮主語 ………… 250下
関係詞節 ………… 274下
関係代名詞
　主格のwho ………… 274
　主格that, which ………… 276

目的格that, which ････ 278
関係代名詞のまとめ ･･ 280
関係代名詞の省略 ･･ 278下
whom ････････････ 280下
関係代名詞節 ････････ 274下
冠詞 ･････････････････････ 55
a と the の使い分け ･･ 105
間接疑問(文) ･･････････ 284
間接目的語 ･･････････ 198下
感嘆符 ･･････････････････ 297
感嘆文 ･･････････････････ 297
間投詞 ･･･････････････････ 55
完了(現在完了形) ･･････ 242
基数 ･････････････････････ 298
規則動詞
規則動詞の過去形 ････ 118
規則動詞の過去分詞 ･･ 224
希望をたずねる ････････ 180
希望を伝える ･･････････ 178
疑問形容詞 ･･･････････ 84下
疑問詞 ･･････････････ 78, 84
疑問代名詞 ･･･････････ 84下
疑問副詞 ･････････････ 84下
疑問文
be動詞(現在)の疑問文 ･･ 66
一般動詞(現在)の疑問文
･･････････････････ 70, 72
be動詞と一般動詞の整理 74
一般動詞(過去)の疑問文 122
willの疑問文･････････ 144
canの疑問文･･････････ 150
have toの疑問文 ･････ 162
There is ～.の疑問文 ･･ 194
受け身の疑問文 ･････ 226
許可を求める表現 ･･ 152, 156
句
形容詞句 ････････････ 264下
前置詞句 ････････････ 264
クエスチョン・マーク･･ 13, 66
経験(現在完了形) ･････ 238
形式主語 ････････････ 250下
継続(現在完了形) ･････ 234
形容詞 ･･････････････ 46, 55
いろいろな形容詞 ･･････ 53
形容詞句 ･･････････ 264下
形容詞節 ･･････････ 270下
形容詞的用法(不定詞) 174
結果(現在完了形) ････ 244下
原形 ･････････････････････ 60
原形不定詞 ･･････････ 260
現在
be動詞の現在形 ････････ 16
一般動詞の現在形 ･････ 28
現在進行形 ･････････ 106
現在完了形
現在完了形とは ･････ 232
完了 ･･････････････ 242
経験 ･･････････････ 238
継続 ･･････････････ 234
結果 ･･････････････ 244下
現在完了形のまとめ ･･ 244
現在完了進行形 ･･････ 246
現在進行形 ･･････････ 106
現在進行形の否定文・疑問文
･･････････････････ 110
現在分詞
進行形 ･･････････ 106下
現在分詞の形容詞用法
･･････････････････ 266
限定用法 ････････････ 46下
後置修飾 ･･････････ 264下
肯定文 ･･････････････ 56下
5文型 ･･･････････････ 206
小文字 ･････････････････ 12
固有名詞 ･････････････ 104
コンマ ･････････････････ 13

さ

最上級 ･･･････････････ 210
3単現 ･･････････････ 32, 34
3単現のs･････････････ 32, 34
3人称 ･･････････････････ 30
3人称単数 ･････････ 32, 34
時刻のたずね方 ････････ 80
自己紹介 ･･･････････････ 27
指示代名詞 ････････････ 42下
時制 ･･･････････････ 130下
時制の一致(～と思いました)
･････････････････････ 191
自動詞 ･･･････････････ 206
修飾
形容詞 ･････････････････ 46
副詞 ････････････････････ 48
前置詞句 ･････････50, 264
後置修飾 ･････････ 264下
主格
人称代名詞 ････････････ 42
関係代名詞 ･･････ 274, 276
主語 ･･･････････････････ 14
出身地の言い方 ･････････ 27
受動態 ･････････････････ 222
条件(接続詞if) ････････ 188
叙述用法 ･･････････････ 46下
序数 ･･･････････････････ 298
助動詞 ･･････････････････ 55
can･･････････････････ 148
could････････････････ 154
may ･････････････････ 156
might ････････････････ 147
must･････････････････ 164
shall ････････････････ 158
should ･･･････････････ 167
will･･････････････････ 142
would ････････････････ 156
所有格 ･･････････････････ 44
所有代名詞(～のもの) ････ 89
進行形
現在進行形 ･････････ 106
進行形にしない動詞 ･･ 108
過去進行形 ･････････ 128
現在完了進行形 ････ 234下
真主語 ･････････････ 250下
節 ･･････････････････ 270下
関係詞節 ･･････････ 274下
形容詞節 ･･････････ 270下
接触節 ････････････ 270下
接続詞 ･･････････････････ 55

because ………… 188
if ………… 188
that ………… 184
when ………… 186
先行詞 ………… 274下
前置詞
前置詞とは ………… 50, 55
いろいろな前置詞 ………… 134
前置詞句 ………… 264

た

代動詞 ………… 70下
代名詞
代名詞とは ………… 42, 54
主格 ………… 42下
所有格 ………… 44
目的格 ………… 100
他動詞 ………… 207
単語の書き方 ………… 13
単数形 ………… 90
単数の主語 ………… 22
直接目的語 ………… 198下
月の言い方 ………… 299
定冠詞 ………… 105
動詞 ………… 14, 54
いろいろな動詞 ………… 65, 77
動詞の語形変化 ………… 300
同等比較(as ～ as …) ………… 216
動名詞 ………… 176

な

２人称 ………… 30
人称 ………… 30
人称代名詞 ………… 42下
年齢の言い方 ………… 27
能動態 ………… 226下
～のもの ………… 89

は

比較級 ………… 208
than any other ～ ………… 218下
日付のたずね方 ………… 80下
否定文
be動詞(現在)の否定文 ………… 56
一般動詞の否定文 ………… 58, 60
be動詞と一般動詞の整理 ………… 62
canの否定文 ………… 148
didn't ………… 120
doesn't ………… 60
don't ………… 58
have toの否定文 ………… 162
willの否定文 ………… 144
受け身の否定文 ………… 226
ピリオド ………… 13
品詞 ………… 54
頻度を表す副詞 ………… 48
付加疑問 ………… 296
不可算名詞 ………… 104
不規則動詞 ………… 118
動詞の語形変化 ………… 300
副詞 ………… 48, 55
副詞的用法(不定詞) ………… 170
複数形 ………… 90, 92
複数の主語 ………… 22, 36
物質名詞 ………… 104
不定冠詞 ………… 105
不定詞 ………… 168
ask 人 to ～ ………… 258
how to ～ ………… 252
It is … to ～. ………… 250
tell 人 to ～ ………… 258
want 人 to ～ ………… 256
what to ～ ………… 254
形容詞的用法 ………… 174
副詞的用法 ………… 170
不定詞と動名詞 ………… 183
名詞的用法 ………… 172
文型
第１文型 ………… 206
第２文型 ………… 206
第３文型 ………… 206
第４文型 ………… 206
第５文型 ………… 206
平叙文 ………… 56下
補語 ………… 16下, 206
母音 ………… 90

ま

未来
be going to ………… 136
will ………… 142
名詞 ………… 42, 54
名詞的用法(不定詞) ………… 172
命令文 ………… 96
be動詞の命令文 ………… 103
否定の命令文 ………… 98
目的格
目的格の人称代名詞 ………… 100
目的格の関係代名詞 ………… 278
目的語 ………… 206

や

曜日の言い方 ………… 299
曜日のたずね方 ………… 80

ら

理由(接続詞because) ………… 188

中学英語をもう一度ひとつひとつわかりやすく。改訂版

監修
山田暢彦

編集協力
㈱エデュデザイン

イラスト
坂木浩子

ブックデザイン
山口秀昭（Studio Flavor）

英文校閲
Edwin L. Carty, Joseph Tabolt

校正
上保匡代，甲野藤文宏，佐藤美穂，三代和彦，森田桂子，脇田聡，渡邉聖子

DTP
㈱四国写研

録音
㈶英語教育協議会（ELEC）

ナレーション
Howard Colefield, Jennifer Okano，中村章吾

この本は下記のように環境に配慮して製作しました。
●製版フィルムを使用しない CTP 方式で印刷しました。
●環境に配慮して作られた紙を使っています。

別冊

軽くのりづけされているので，
外して使いましょう。

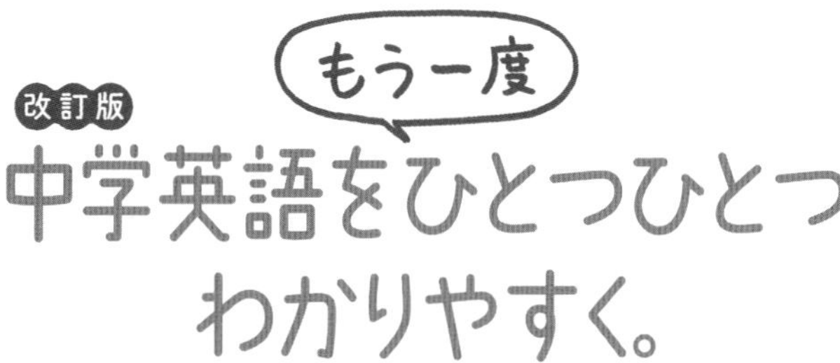

解答例と解説

英語の勉強って、
本当はいくら間違えてもいいんだね！
間違いをこわがらずに、学んだことを
どんどんアウトプット（書く・話す）してみることで
英語が使えるようになっていくんだ！

そっか！

楽しくやろう♪

英語の答え合わせについて

◆答え方の一例を示しています。一部，［　］の中に別の答え方を示していることもあります。
◆解答例が何通りかある場合も，音声は1通りのみが収録されています。（最初に示す答え方で読まれています。）
◆本書では多くの場合，I'm やisn't などの短縮形を使って答えを示していますが，短縮しない形で答えても
もちろん正解です。

（例）

短縮形		短縮しない形	短縮形		短縮しない形	短縮形		短縮しない形
I'm	→	I am	what's	→	what is	doesn't	→	does not
you're	→	you are	how's	→	how is	didn't	→	did not
we're	→	we are	who's	→	who is	can't	→	cannot
they're	→	they are	isn't	→	is not	won't	→	will not
he's	→	he is	aren't	→	are not	haven't	→	have not
she's	→	she is	wasn't	→	was not	hasn't	→	has not
it's	→	it is	weren't	→	were not	I'll など	→	I will など
that's	→	that is	don't	→	do not	I've など	→	I have など

◆本書での勉強は，答え合わせをした“あと”こそが本番です。答え合わせが終わったら，必ず音声を聞いて，
話す練習をしましょう。

Gakken

01 「主語」と「動詞」とは？ 15ページ

1 You run fast.
2 Nick likes baseball.
3 We speak Japanese.
4 You work hard.
5 I like Italian food.
6 I have a younger sister.
7 We live in an apartment.

02 「be動詞」とは？ 17ページ

1 I am busy.
2 I like cats.
3 You are kind.
4 His house is big.
5 I study English every day.
6 Kate is a college student.
7 Mike is in his room.
8 I work at a hospital.
9 The printer paper is in that box.

03 am, are, isの使い分け ①

19ページ

1 ① I am hungry. ② I'm hungry.
2 ① You are tall. ② You're tall.
3 ① I am eighteen. ② I'm eighteen.
4 ① You are late. ② You're late.

パッとSpeak! You're good!

注意 3 年齢を言うときは，最後に years old（〜歳）をつけることもあります。

04 am, are, isの使い分け ②

21ページ

1 is　2 is　3 am　4 are
5 is　6 is　7 is

パッとSpeak! This is delicious!

05 am, are, isの使い分け ③

23ページ

1 is　2 are　3 is　4 are
5 are　6 are　7 are

パッとSpeak! The stars are beautiful!

06 am, are, isの整理 25ページ

1 is　2 am　3 are　4 are
5 is　6 is　7 are

パッとSpeak! I'm tired.

復習タイム 26ページ

1 1）She　2）You're　3）are
4）is　5）are

2 1）This is his phone.
2）That's my car.
3）They're from Australia.
4）Her room is nice.
5）My colleagues are very kind.

3 1）I'm from Tokyo.
2）I'm nineteen (years old).
3）I'm a college student.
4）My major is psychology.

07 「一般動詞」とは？ 29ページ

1 play　2 have　3 like　4 watch
5 I play the guitar.
6 I study English
7 I speak Japanese.

パッとSpeak! I like this song.

08 「3人称」とは？ 31ページ

○をつけるもの…1　3　5　6　7　8　9

注意 2 I は1人称，4 You は2人称です。

09 動詞の形の使い分け ① 33ページ

1 play, plays　2 play, plays
3 like, likes　4 live, lives　5 walks
6 comes　7 speaks　8 wants

10 まちがえやすい3単現 35ページ

1 have, has　2 have, has　3 teaches
4 watches　5 studies　6 goes

パッとSpeak! That train goes to Tokyo.

11 動詞の形の使い分け ② 37ページ

1 play　2 plays　3 play　4 play
5 studies　6 live　7 go　8 get
9 speak　10 like

12 動詞の形のまとめ 39ページ

1 live　2 likes　3 speak
4 want　5 play　6 has　7 go
8 watches　9 comes　10 study

注意 2，6，8，9 は主語が3人称単数なので，動詞は「s がついた形」にします。have → has, watch → watches の変化に注意しましょう。

復習タイム

40 ページ

1 1）likes　2）speak　3）go　4）live

注意 1）英語では，likes soccer のように同じ音（ここでは s の音）が連続しているときは，区切らずにつなげて発音されることが多いので注意してください。likes soccer は，like soccer と非常に似た音に聞こえます。

2 1）teaches　2）practice　3）comes
　4）sleeps

3 1）I like basketball.
　2）Amy plays the piano.
　3）My sister has a car.
　4）I watch TV
　5）Ms. Brown speaks Chinese.
　6）Andy goes to the gym

13「代名詞」とは？

43 ページ

1 It　2 She　3 They
4 He　5 They　6 We

パッとSpeak! This is my friend Aya.

14「彼の」「私たちの」など

45 ページ

1 My　2 Our　3 Your　4 his
5 Their　6 Her　7 Their　8 Lucy's, His

15「形容詞」とは？

47 ページ

1 has a big dog
2 want a new laptop
3 my favorite song
4 question is easy
5 have a good idea
6 live in an old house

パッとSpeak! This video is interesting.

注意 a は「1つの」という意味で，名詞の前（名詞に形容詞をつけるときは形容詞の前）で使います。6 の old のように母音（アイウエオに近い音）で始まる語の前では，a のかわりに an を使います。（a と an については p.90 で学習します）

16「副詞」とは？

49 ページ

1 Nick plays the piano well.
2 I usually walk to work.
3 Erika studies English hard.
4 I watch the news every day.
5 Mr. Smith often goes to Tokyo.
6 We play tennis here.
7 I sometimes order food online.

注意 3「熱心に」は hard を使います。
7 頻度を表す副詞は一般動詞の前に入れるのが基本ですが，sometimes は文の最初や文の最後におくこともできます。

17「前置詞」とは？

51 ページ

1 in　2 on　3 to　4 before
5 I go to school with my brother.
6 I have a meeting at ten (o'clock).
7 I have an umbrella in my backpack.
8 I study English after dinner.
9 She teaches English in Japan.

注意 日本語の「～に」は，英語ではいろいろな前置詞を使い分けます。1，7 のように「（ある空間）の中に」は in を，2 のように何かに接触して「～の上に」は on を，3 の到着地（～へ）は to を，6 の「～時に」は at を使います。

復習タイム

52 ページ

1 1）in　2）after　3）well
　4）often　5）our

2 1）has a red car
　2）book is interesting
　3）tall lady is Sarah
　4）comes here every day

注意 4）情報をプラスすることばは，ふつう「場所」→「時」の順序で並べます。

3 1）We often play tennis.
　2）This is our new house.
　3）This question is easy.
　4）Their company is very famous.
　5）She has a TV in her room.
　6）I usually have[eat] lunch with Meg.

18 否定文のつくり方 ① 57ページ

1 This isn't my phone.
2 I'm not a good singer.
3 Amy isn't a college student.
4 They aren't[They're not] from the U.S.
5 I'm not ready.
6 My brother isn't married.
パッとSpeak! Thanks, but I'm not hungry.

19 否定文のつくり方 ② 59ページ

1 I don't play tennis.
2 I don't know his name.
3 They don't use this room.
4 We don't live here.
5 I don't drink milk.
6 I don't like my new job.
パッとSpeak! I don't have a smartphone.

20 否定文のつくり方 ③ 61ページ

1 Mike doesn't live in Tokyo.
2 Alex doesn't like sushi.
3 My mother doesn't drink coffee.
4 My grandfather doesn't watch TV.
5 Mr. Smith doesn't speak Japanese.
6 Ms. Miller doesn't have a smartphone.
パッとSpeak! This train doesn't stop at Higashi Station.

21 isn'tやdon'tの整理 63ページ

1 am 2 do 3 am 4 does
5 is 6 don't 7 doesn't 8 don't

復習タイム 64ページ

1 1) doesn't 2) don't 3) isn't
4) aren't 5) isn't
2 1) I'm not at home now.
2) I don't like science.
3) My grandmother doesn't watch TV.
4) Lucy doesn't speak Japanese at home.
5) Emma and I aren't on the same team.
3 1) I don't know her e-mail address.
2) Mr. Smith doesn't make breakfast on Sundays.
3) My uncle doesn't have a TV.
4) Ms. Miller isn't an English teacher.
5) John and Sandy aren't here now.

22 疑問文のつくり方 ① 67ページ

1 Is that Mt. Fuji?
2 Is this your jacket?
3 Are they in the same class?
4 Is she a professional tennis player?
5 Is Kate there?
6 Are you from China?
パッとSpeak! Are you busy right now?

注意 疑問文を書くときには，文の最後に，ピリオドのかわりにクエスチョン・マーク（？）をつけるのを忘れないようにしましょう。

3 もとの文の They're は They are の短縮形なので，疑問文は Are they ～? とします。

23 Are you ～?などへの答え方 69ページ

1 ① Yes, he is. ② No, he isn't[he's not].
2 ① Yes, she is. ② No, she isn't[she's not].
3 ① Yes, I am. ② No, I'm not.
4 ① Yes, it is. ② No, it isn't[it's not].
5 ① Yes, it is. ② No, it isn't[it's not].
6 ① Yes, they are.
② No, they aren't[they're not].
7 ① Yes, he is. ② No, he isn't[he's not].
8 ① Yes, they are.
② No, they aren't[they're not].

24 疑問文のつくり方 ② 71ページ

1 Do you like soccer?
2 Do you live near here?
3 Do you use this app?
4 Do you speak English?
① Yes, I do. ② No, I don't.
5 Do you go to the gym every day?
① Yes, I do. ② No, I don't.
6 Do you know her name?
① Yes, I do. ② No, I don't.
7 Do you work on weekends?
① Yes, I do. ② No, I don't.

25 疑問文のつくり方 ③ 73ページ

1 Does she play tennis?
2 Does he live in London?
3 Does the store close at eight?
4 Does Ms. Miller speak Spanish?
① Yes, she does. ② No, she doesn't.
5 Does Tina have any pets?
① Yes, she does. ② No, she doesn't.
6 Does this bus go to Tokyo Station?
① Yes, it does. ② No, it doesn't.
7 Does Mr. Smith know about this?
① Yes, he does. ② No, he doesn't.

26 Are you ～?やDo you ～?の整理 75ページ

1 Are 2 Do 3 Are 4 Does
5 Is 6 Do 7 Do 8 Does

復習タイム 76ページ

1 1) Is 2) Do 3) Is 4) Does
2 1) Is she busy today?
2) Does Meg like science?
3 1) Yes, it is. 2) No, I don't.
3) Yes, he does.
4) No, they aren't[they're not].
4 1) Do you like baseball?
2) Does Alice play the piano?
3) Do you go to work by train?
4) Is Mr. Smith a math teacher?
5) Is Mike from Australia?
6) Do Mike and Bob speak Japanese?
– No, they don't.

27 Whatの疑問文 ① 79ページ

1 What's this?
2 What's that?
3 What's your e-mail address?
4 What's your favorite sport?
5 What's in this box?
6 It's a ham sandwich.
7 It's fried tofu.
8 It's an art museum.

28 時刻・曜日のたずね方 81ページ

1 What time is it?
2 What day is it today?
3 What time is it in New York?
4 ① It's five (o'clock). ② It's six thirty.
③ It's eight twenty. ④ It's eleven fifteen.
5 ① It's Sunday. ② It's Monday.
③ It's Wednesday. ④ It's Saturday.

注意 2「今日は何曜日ですか。」は，it を主語にして What day is it today? とするほか，today を主語にして What day is today? と言う場合もあります。

29 Whatの疑問文 ② 83ページ

1 What do you have
2 What do you do
3 What does your father do
4 What sports does she like?
5 What time do you get up
6 What time do you usually go to bed?
7 What kind of movies do you like?

パッとSpeak! What do you have in your bag?

注意 2 What do you do　3 What does your father do　のうしろの do は，「する」という意味の一般動詞です。

30 いろいろな疑問詞 85ページ

1 Which 2 Where 3 Who 4 When
5 Who is Helen?
6 Where do you live?
7 When is your birthday?
8 Where is Amy?
9 When is the next meeting?
10 Which flavor do you want?

31 Howの疑問文 87ページ

1 How's your mother?
2 How's the weather
3 How do you go
4 How's your new job?
5 It's sunny. 6 It's rainy.
7 It's cloudy.

パッとSpeak! How is it?

復習タイム

88 ページ

1　1)イ　2)ア　3)ウ　4)カ　5)オ　6)エ

注意 意味を確認しておきましょう。

1)あなたは毎週日曜日にはたいてい何をしますか。－野球をします。2)私の辞書はどこですか。－机の上です。3)ウィリアムズさんとはだれですか。－私たちの先生です。4)あの建物は何ですか。－学校です。5)あなたは手に何を持っているのですか。－本を持っています。6)あなたのお父さんはどうですか(お元気ですか)。－元気です。

2　1) What is your brother's name?
　2) What sports do you like?
　3) How is the weather in Sydney?
　4) What do you have for breakfast?

3　1) When is your birthday?
　2) Where do you live?
　3) What subject(s) do you like?
　4) What time is it?
　5) What day is it today?

32「複数形」とは？

91 ページ

1 dogs　2 teacher　3 hamburgers
4 books　5 questions　6 friends
7 cars　8 sisters　9 cats

注意 8 any のあとの名詞は複数形にします。any は,否定文では「1つも(～ない)」,疑問文では「いくつかの, 1つでも」という意味を表します。

33 まちがえやすい複数形

93 ページ

1 cities　2 boxes　3 men　4 women
5 children　6 families　7 classes
8 countries　9 water　10 information

34 数のたずね方

95 ページ

1 How many dogs　2 How long
3 How old　4 How tall　5 How much
6 How long is this movie?
7 How old is this building?
8 How many books do you have?
9 How much time do you have?

35「命令文」とは？

97 ページ

1 Stand　2 open　3 Wash
4 wait　5 Use　6 write　7 Take

パッとSpeak! Please sit here.

注意 命令文では, 1 の Joe や 3 の Mary のように, 相手の名前を呼びかけることがよくあります。呼びかけの語は, 文の最初にも最後にもつけることができますが, 必ずコンマ(,)で区切ることに注意してください。

36「～しないで」「～しましょう」

99 ページ

1 Let's sing together.
2 Don't give up.
3 Please don't go.[Don't go, please.]
4 Let's go home.
5 Don't open this box.
6 Let's have[eat] pizza for dinner.
7 Don't take pictures here.

パッとSpeak! Don't worry.

37「私を」「彼を」など

101 ページ

1 him　2 you　3 me
4 them　5 her　6 me
7 them　8 me　9 us

注意 7「それらを」のように複数の物を表すときも them を使います。

復習タイム

102 ページ

1　1) us　2) her　3) cats　4) children
　5) brothers　6) countries

2　1)エ　2)ア　3)イ　4)ウ

注意 意味を確認しておきましょう。

1)あなたのお兄[弟]さんは何歳ですか。－18歳です。2)これはいくらですか。－500円です。3)英語の授業はどのくらいの長さですか。－50分です。4)デイビスさんはコンピューターを何台持っていますか。－彼は2台持っています。

3　1) How many comic books do you have?
　2) I know them well.
　3) Please don't open the window.
　[Don't open the window, please.]
　4) Let's start the meeting.

5）How many children does she have?
6）How old is this temple?

38「現在進行形」とは？ 107ページ

1 Ray is playing the piano.
2 I'm studying in the library.
3 They're watching TV in the living room.
4 We're waiting for the bus.
5 Lisa and Naomi are talking.
6 It's raining.
7 Your phone is ringing.
パッとSpeak! I'm having dinner right now.

39 まちがえやすいing形 109ページ

1 running　2 writing　3 making
4 sitting　5 swimming　6 using
7 I know him.　8 I have a cat.
9 He's having breakfast.
10 She wants a new smartphone.

40 進行形の否定文・疑問文 111ページ

1 I'm not watching TV.
2 They aren't[They're not] talking.
3 Joe isn't studying.
4 Are you waiting for George?
① Yes, I am.　② No, I'm not.
5 Is it raining?
① Yes, it is.
② No, it isn't. [No, it's not.]
6 Are Jim and Tina having[eating] lunch together?
① Yes, they are.
② No, they aren't. [No, they're not.]
7 Are you listening to me?
① Yes, I am.　② No, I'm not.

41「何をしているのですか」 113ページ

1 What are you doing?
2 What's Josh doing?
3 What are they doing in the classroom?
4 What are they making?
5 Who's playing the guitar?
6 I'm waiting for Bob.
7 She's writing an e-mail.
8 He's making sandwiches.

復習タイム 114ページ

1　1）Are　2）I know　3）isn't
4）is watching　5）Do you have

注意 2）5）know（知っている），have（持っている）は進行形にしません。
4）ふだんの習慣ではなく，今，部屋でしていることなので，進行形で答えます。

2　1）Yes, he is.
2）She's having lunch with Meg.
3）They're swimming.
4）He's listening to music.
5）My mother (is).

注意 5）Who is ～ing?（だれが～していますか）には，「している人」の名前などを答えます。My mother. のように簡単に答える場合もありますが，My mother is. のように be 動詞をつけることもあります。この is は，My mother is playing the piano. の下線部の内容を 1 語で表す働きをしています。

3　1）My father is cooking in the kitchen.
2）Are you writing a letter?
3）He's running in the park.
4）What are you doing?
5）Is it raining in Tokyo?
6）I'm not sleeping.

注意 5）天気や時刻などを言う文では，主語に it を使います。この it には「それ」の意味はありません。

42「過去形」とは？ 117ページ

1 I watched TV last night.
2 We played baseball yesterday.
3 He helped us ten years ago.
4 Emma visited her uncle last week.
5 I talked with Bob last Sunday.
6 He suddenly looked at me.
7 I traveled to India last year.
パッとSpeak! I called him last night.

43 まちがえやすい過去形 119ページ

1 had 2 saw 3 liked 4 wrote
5 used 6 made 7 read 8 stopped
9 I went to Hawaii last week.
10 I studied English last night.
11 Jim came to Japan two weeks ago.
12 Mr. Jones lived in Tokyo three years ago.
13 She got up at eight (o'clock) this morning.

44 過去の否定文 121ページ

1 He didn't have a phone.
2 They didn't use this room.
3 I didn't see her at the party.
4 I didn't go to work yesterday.
5 He didn't watch TV last night.
6 Maria didn't come to practice last Sunday.
7 They didn't sleep last night.
8 I didn't have breakfast this morning.

45 過去の疑問文 123ページ

1 Did she play tennis yesterday?
2 Did you write this letter?
3 Did they come to Japan last month?
4 Did she make this cake?
5 Did your mother have breakfast this morning?
① Yes, she did. ② No, she didn't.
6 Did you enjoy the concert?
① Yes, I did. ② No, I didn't.
7 Did you get a haircut?
① Yes, I did. ② No, I didn't.

46「何をしましたか」 125ページ

1 What did you do last Sunday?
2 What time did you get up this morning?
3 Where did you go yesterday?
4 How did you get this watch?
5 What did you have for breakfast?
6 How did you learn Japanese?
7 When did you join the company?
パッとSpeak! When did you come to Japan?

47 wasとwere 127ページ

1 was 2 was 3 were
4 wasn't 5 weren't
6 Were you tired?
① Yes, I was. ② No, I wasn't.
7 Was the movie interesting?
① Yes, it was. ② No, it wasn't.
8 Were they in a meeting then?
① Yes, they were. ② No, they weren't.

注意 8 then (そのとき)は，at that time で表すこともできます。

48「過去進行形」とは？ 129ページ

1 I was sleeping then.
2 We were watching TV together.
3 Amy was writing a letter.
4 Joe wasn't studying then.
5 They weren't talking.
6 Were you waiting for the[a] bus?
7 What were you doing then?
パッとSpeak! I was talking with Ms. Jones.

49 過去の文の整理 131ページ

1 was 2 had 3 were
4 went, was
5 I didn't go to work today.
6 Were they kind to you?
7 Did you get up early this morning?
8 What did you do last weekend?

復習タイム 132ページ

1 1) took 2) were 3) came
4) was 5) watching

注意 1) and の前の動詞が went (go の過去形) なので，あとの動詞も過去形の took にします。
5) 前に be 動詞の was があることに注目しましょう。「エマはそのとき，映画を見ていました。」という過去進行形の文です。

2 1) Yes, he was.
2) I played tennis with my sister.
3) I went to bed at eleven (o'clock).

3 1) We were in Okinawa last week.
2) He got up at seven (o'clock) this morning.
3) It wasn't cold last night.
4) Did you study English yesterday?
5) My mother was a teacher before.

6）What were you doing in your room?

50 be going toとは？ 137ページ

1 I'm going to play tennis
2 Amy is going to meet her friend
3 He's going to visit China
4 I'm going to go shopping this weekend.
5 Mr. Johnson is going to come to Japan next year.
6 Sorry, I'm going to be late.
7 Our team is going to make a presentation next Monday.

パッとSpeak! I'm going to go home and read this.

51 be going to の否定文・疑問文 139ページ

1 I'm not going to have dinner today.
2 I'm not going to work this weekend.
3 Is he going to come here tomorrow?
① Yes, he is. ② No, he isn't.
4 Are you going to buy this?
① Yes, I am. ② No, I'm not.
5 Are they going to visit Australia in August?
① Yes, they are. ② No, they aren't.
6 Are you going to work overtime today?
① Yes, I am. ② No, I'm not.

52「何をするつもりですか」 141ページ

1 What are you going to do tomorrow?
2 What is Jim going to do this weekend?
3 Where is he going to go?
4 When are you going to visit Hawaii?
5 How long are you going to stay there?
6 Where are you going to stay?
7 What time are you going to get up tomorrow?
8 I'm going to go shopping.
9 She's going to visit Kyoto.

53 willとは？ 143ページ

1 I'll call you in thirty minutes.
2 I'll go with you.
3 I'll ask Mr. Jones.
4 She'll be back soon.
5 We'll be free this afternoon.
6 You'll be[become] a good teacher.
7 The package will arrive on Tuesday.

パッとSpeak! I'll carry it.

54 willの否定文・疑問文 145ページ

1 I won't go there again.
2 I won't be late tonight.
3 I won't tell anyone.
4 That idea won't work.
5 Will the package arrive by Tuesday?
① Yes, it will. ② No, it won't.
6 Will Ms. Miller come to the meeting?
① Yes, she will. ② No, she won't.

復習タイム 146ページ

1 1）am going 2）will 3）go
4）Will 5）be 6）won't

注意 3）5）be going to も will も，あとにくる動詞は原形です。

2 1）Yes, I am.
2）No, he won't.
3）I'm going to clean my room.
4）She's going to stay (there[in Japan]) for three weeks.

3 1）I'll call her now.
2）Will it be sunny tomorrow morning?
3）I'm going to meet[see] Emma next week.
4）Where are you going to have lunch?
5）I'm not going to go abroad this year.
6）Is your father going to retire soon?

55「～できる」のcan 149ページ

1 I can play the piano.
2 Alex can't play the guitar.
3 He can run fast.
4 She can't read Japanese.
5 I can go with you.
6 You can use this phone.
7 I can't join the meeting.

パッとSpeak! Sorry, I can't hear you.

56「〜できますか」

151ページ

1 Can you play the piano?
2 Can she read Japanese?
3 Can you ski?
① Yes, I can. ② No, I can't.
4 Can your sister drive a car?
① Yes, she can. ② No, she can't.
5 Can you see that sign?
① Yes, I can. ② No, I can't.
6 Can you hear me?
① Yes, I can. ② No, I can't.

57「〜してもいい？」「〜してくれる？」

153ページ

1 Can I use your phone?
2 Can you open the door?
3 Can you help me?
4 Can I read this letter?
5 Can I see it?
6 Can I have some water?
7 Can I try on this jacket?
パッとSpeak! Can I have a blanket?

58「〜していただけますか」

155ページ

1 Can you come here?
2 Could you help me?
3 Could you wait here?
4 Could you take a picture?
5 Could you turn on the heater?
6 Could you call a taxi?
7 Could you write it down?
パッとSpeak! Sorry, could you say that again?

59 依頼のWill you 〜?など

157ページ

1 Will you help me?
2 Will you wash the dishes?
3 Would you close the window?
4 May I sit here?
5 May I use your computer?
6 May I have your name
7 May I take your order?
パッとSpeak! May I come in?

60「〜しましょうか？」

159ページ

1 Shall I help you?
2 Shall we have lunch together?
3 Shall I call you later?
4 Shall I open the window?
5 Shall I bring some water?
6 Shall we go for a walk this afternoon?
7 Where shall we go?
8 What shall we do?

61「〜しなければならない」①

161ページ

1 I have to get up at five (o'clock) tomorrow.
2 He has to make breakfast.
3 Nick has to go to the hospital.
4 You have to practice the piano.
5 I have to finish my homework now.
6 I have to go to work this weekend.
7 Mr. Smith has to pick his kids up from school.
パッとSpeak! I have to go now.

62 have toの否定文・疑問文

163ページ

1 You don't have to hurry.
2 Amy doesn't have to get up early tomorrow.
3 Do you have to finish this by tomorrow?
4 Does Jim have to leave Japan next month?
5 Do you have to go now?
6 I don't have to work today.
7 Do I have to join the meeting?
① Yes, you do. ② No, you don't.

63「〜しなければならない」②

165ページ

1 You must go to the hospital.
2 You mustn't use Japanese in class.
3 You mustn't touch these paintings.
4 He must stay home today.
5 You must apply by April 1.
6 We mustn't give up.
7 Everyone must wear a mask.
パッとSpeak! We must hurry.

注意 2，3，6 mustn't(must not の短縮形)は，[mʌ́snt] の発音にも注意しましょう。

復習タイム
166 ページ

1　1）have　2）don't　3）must　4）swim

注意 2）「あなたはそれを食べる必要はありません。」，4）「あなたはここで泳いではいけません。」という意味です。否定文の意味のちがいに注意しましょう。

2　1）イ　2）ウ　3）ア　4）ウ　5）ウ

注意 意味を確認しておきましょう。

1）「あなたのえんぴつを使ってもいいですか。」「いいですよ。はい，どうぞ。」　2）「私はもう行かなければなりませんか。」「いや，行かなくてもいいです。」　3）「ドアを閉めてくれますか。」「もちろん。」　4）「今，夕食を食べましょうか。」「はい，そうしましょう。」　5）「私の宿題を手伝っていただけますか。」「すみませんが，今日は忙しいのです。」

3　1）Shall I help you?
　2）May I come in?
　3）Can you open the window?
　4）You don't have to worry.
　5）Shall we meet here at two (o'clock)?
　6）Could you wait here?

64「不定詞」とは？
169 ページ

1　ア　2　ア　3　イ
4　He gets up early to make breakfast.
5　Mike went to the office to do some work.

65「～するために」
171 ページ

1　to study　2　to be a teacher
3　to play games　4　to buy a car
5　I got up early to walk my dog.
6　Mr. Smith came to see you this morning.
7　I'm happy to hear that.
8　I'm sorry to hear that.
9　I was surprised to see the picture.

66「～すること」
173 ページ

1　to visit many countries
2　to be a teacher in the future
3　to take pictures
4　to rain
5　to study Japanese last year
6　to speak to him in English
7　to buy some vegetables
8　to change jobs
9　to speak in front of people

67「～するための」
175 ページ

1　work to do　2　time to read books
3　places to see　4　time to go to bed
5　something to drink
6　anything to do　7　something to eat
パッとSpeak! I have nothing to do today.

68「動名詞」とは？
177 ページ

1　We enjoyed talking.
2　My father likes listening to music.
3　She finished reading the story.
4　Cooking curry is easy.
5　writing　6　to see
7　studying　8　looking

69 ていねいに希望を伝える言い方
179 ページ

1　I'd like a hamburger
2　I'd like a cup of tea.
3　I'd like some water.
4　I'd like to go to the bathroom.
5　I'd like to ask some questions.
6　I'd like to make a reservation.
7　I'd like to try on this jacket.
パッとSpeak! I'd like to go here.

70 相手の希望をたずねる言い方
181 ページ

1　Would you like to come with us?
2　Would you like something to drink?
3　Would you like to leave a message?
4　What would you like
5　What would you like to eat?
6　Where would you like to go?
7　Which one would you like?
パッとSpeak! Would you like some salad?

注意 2 は，疑問文でも anything ではなく something を使います。「何か飲む物」は

something to drink で表します。3は，電話で使われる決まった言い方なのでこのまま覚えましょう。

疑問文では some のかわりに any を使う場合が多いですが，パッとSpeak! のように何かをすすめる疑問文ではふつう some を使います。

復習タイム

182 ページ

1 1）to play 2）talking
3）To walk 4）Studying

2 1）of homework to do
2）wants something to
3）I'd like to visit London
4）Would you like some
5）Would you like to come

3 1）She wants to be a teacher.
2）We need to reduce waste.
3）It will stop raining
4）He visited Canada to ski.
5）I don't have time to watch TV.
6）I started[began] to use this phone last month.
7）My mother started[began] to learn English two years ago.

注意 5）I have no time to watch TV. でもよい。

71 接続詞のthatとは？

185 ページ

1 I think that this book is interesting.
2 I know that Emma likes sports.
3 I think that you'll enjoy this movie.
4 I think that Japanese is difficult.
5 I know that you're busy.
6 I know that Ms. Jones is from the U.K.
7 I think that we need more time.

注意 接続詞の that は省略してもかまいません。

72 接続詞のwhenとは？

187 ページ

1 when I got up 2 when I was young
3 when he called my name
4 when I got home
5 when you get to the station
6 I wanted to be a police officer when I was a child. [When I was a child, I wanted to be a police officer.]
7 It was past ten when we arrived there.

パッとSpeak! I was sleeping when you called.

73 接続詞if, because

189 ページ

1 because you're late
2 if you're hungry
3 because he had a cold
4 if you're sleepy
5 If you have time
6 I went home because I wanted to watch TV. [Because I wanted to watch TV, I went home.]

パッとSpeak! If you have any questions, please ask me.

復習タイム

190 ページ

1 1）When 2）Because 3）if
4）because

2 1）think that math is interesting
2）help me if you are free
3）knows he is a teacher
4）thin when he was young
5）was cooking dinner when I got home
6）Do you think Japanese is difficult?

3 1）catch the bus if you go now
2）can't come to the party because he's busy
3）I think (that) she will come to the party.
4）I think (that) he is right.
5）I wanted to be a singer when I was a child. [When I was a child, I wanted to be a singer.]
6）I know (that) you have a lot of work to do.

74 「～があります」

193 ページ

1 There is a picture on the wall.
2 There are a lot of books in the box.
3 There isn't a hospital near here.
4 There is some milk in the glass.
5 There are a lot of shrines in Kyoto.
6 There was an earthquake last night.

7 There is a seminar in Tokyo

パッとSpeak! There are six people in my family.

注意 4 数えられない名詞が主語のときは，be 動詞は is を使います。5 Kyoto has a lot of[many] shrines. と言うこともできます。

75「～がありますか」 195 ページ

1 Is there a bag under the table?
2 Is there a bank near the station?
3 Is there a restaurant near the hotel?
① Yes, there is. ② No, there isn't.
4 Were there many people there?
① Yes, there were. ② No, there weren't.
5 Are there any pictures on the wall?
① Yes, there are. ② No, there aren't.

76「～になる」「～に見える」など 197 ページ

1 sounds 2 got 3 looks
4 Tina looks happy.
5 The band became famous.
6 sounds interesting
7 Amy became a doctor.
8 You look pale.

77「～をあげる」「～を見せる」など 199 ページ

1 give you this book
2 tell me the way
3 showed us some pictures
4 gave me a watch
5 show me your notebook
6 tell me your address
7 tell her the truth

パッとSpeak! I'll send you the picture.

78「AをBと呼ぶ」「AをBにする」 201 ページ

1 We call him Hiro.
2 We named the dog Max.
3 Her words made me happy.
4 The news made him sad.
5 This movie made her famous.
6 His smile makes me happy.
7 Andy made her angry.

パッとSpeak! Please call me Aki.

79 tell me that ～などの文 203 ページ

1 He told me that he was tired.
2 I told her that the book was interesting.
3 My mother often tells me that I should study harder.
4 My grandparents always told me that I was a good kid.
5 Mr. Miller told us that we should read more books.
6 This movie shows us that we must help each other.

注意 接続詞の that は省略してもかまいません。

復習タイム 204 ページ

1 1）is 2）are 3）made 4）me
5）him 6）sounds 7）looked
2 1）There are some dogs over
2）Can you tell me his name?
3）The news made us happy.
4）She told me that I was wrong.
3 1）The news made them happy.
2）Can you send me the link?
3）Can you show me the video?
4）Could you tell me the way to the subway station?
5）The government gave them a lot of money.
6）My grandmother told us a lot of interesting stories.

80「比較級」とは？ 209 ページ

1 taller 2 smaller 3 stronger
4 Ms. Miller is older
5 longer than February
6 Japan is larger than the U.K.
7 Alice runs faster than Jim.

パッとSpeak! Do you have a smaller one?

81「最上級」とは？ 211 ページ

1 tallest 2 smallest 3 strongest
4 This is the oldest building
5 of the four

6 Russia is the largest country in the world.
7 She ran the fastest in her class.
8 the highest mountain in the world

82 まちがえやすい比較変化 213ページ

1 hotter, hottest 2 easier, easiest
3 larger, largest 4 better, best
5 more, most
6 My dog is bigger than yours.
7 Emily is my best friend.
8 Ms. Miller is the busiest teacher in
9 Which is larger, China or Canada?
10 Today is the happiest day of my life.

83 more, mostを使う比較 215ページ

1 more difficult 2 The most popular
3 most interesting
4 This picture is more beautiful than that one[picture].
5 She is the most famous singer in Japan.
6 I think (that) Japanese is the most important subject.
パッとSpeak! Could you speak more slowly?

84 asを使う比較 217ページ

1 as fast as 2 as tall as 3 as fast as
4 I'm as busy as
5 My bag is as big[large] as yours.
6 Emma can swim as well as Meg.
7 This book isn't as interesting as that one [book].
8 This watch isn't as expensive as yours.
9 isn't as crowded as usual

85 比較の文の整理 219ページ

1 bigger than mine
2 the longest river in the world
3 better than this one[camera]
4 as well as Meg
5 the most important thing of all
6 more popular than baseball
7 the most famous writer in her country

復習タイム 220ページ

1 1) smaller 2) easiest 3) better
4) popular 5) more interesting
6) hotter 7) best 8) bigger
2 1) This lake is deeper than Lake Victoria.
2) Soccer is the most popular sport in their country.
3 1) He can't sing as well as Amy.
2) My computer is faster than yours.
3) This movie is the most interesting of the three.
4) Mr. Smith is as tall as my father.
5) Which country is the largest of the four?
6) We were busier than usual today.
7) This is the best room in this hotel.

86 「受け身」とは? 223ページ

1 is cleaned 2 is used
3 is made 4 was built
5 was held 6 was found
パッとSpeak! This picture was painted 400 years ago.
注意 4 西暦は2けたずつ区切って読むので,1950はnineteen fiftyと読みます。

87 「過去分詞」とは? 225ページ

1 made 2 invited 3 loved
4 spoken 5 taken 6 known
7 painted 8 written

88 受け身の否定文・疑問文 227ページ

1 This game isn't sold
2 I wasn't invited
3 He wasn't seen
4 Is French spoken
① Yes, it is. ② No, it isn't.
5 Was this room cleaned
① Yes, it was. ② No, it wasn't.

6 Was yesterday's event canceled?
① Yes, it was. ② No, it wasn't.

89 受け身とふつうの文の整理

229 ページ

1 was built 2 made 3 sent
4 was 5 didn't 6 wasn't
7 Did 8 Did 9 Was

注意「主語が~する」ならふつうの文,「主語が~される」なら受け身です。1「寺が建てられる」は受け身, 2「母が作る」はふつうの文, 3「彼が送る」はふつうの文, 4「台所がそうじされる」は受け身, 5「私が招待する」はふつうの文, 6「本が読まれる」は受け身, 7「彼女が描く」はふつうの文, 8「あなたが書く」はふつうの文, 9「写真が撮られる」は受け身。

復習タイム

230 ページ

1 1) is played 2) was painted
3) wasn't 4) Is 5) Were

注意 英文の意味は次のとおりです。
1)サッカーはたくさんの国でプレーされています。2)この絵は100年前に描かれました。3)この部屋はきのう,そうじされませんでした。4)フランス語はあなたの学校で教えられていますか。(taught は teach の過去形・過去分詞) 5)あなたは彼女の誕生パーティーに招待されましたか。

2 1) visited 2) built 3) read
4) killed 5) held

注意 英文の意味は次のとおりです。
1)私たちのウェブサイトは毎日100人以上に訪問されます。2)この城は14世紀に建てられました。3)彼の小説はたくさんの若い人たちに読まれています。4)その事故で3人が亡くなりました。(kill〈殺す〉の過去分詞は過去形と同じ killed。be killed で「(事故などで)死ぬ」という意味で使われる。) 5)最初の東京オリンピックは1964年に開催されました。(hold〈開催する,手に持つ〉の過去分詞は過去形と同じ held。)

3 1) He is loved by everyone.
2) English is spoken in many countries.
3) This book was written by a famous singer.
4) This room isn't used anymore.
5) The first computer was made about 80[eighty] years ago.
6) Our company was established in 1947.

90「現在完了形」とは?

233 ページ

1 もう住んでいないかもしれない
2 今もまだ住んでいる
3 もう働いていないかもしれない
4 今もまだここで働いている
5 もう駅にはいないかもしれない
6 今もまだ駅にいる
7 もう見つかったかもしれない
8 まだ見つかっていない

注意 過去形は過去のことを言うときに使われ,現在のこととは関係がありません。これに対して現在完了形は,過去とつながりがある「今の状態」を言うときに使われます。英文の意味は次のとおりです。
1 私は3年間日本に住んでいました[住みました]。 2 私は3年間(今までずっと)日本に住んでいます。 3 私はここで20年以上働きました。4 私は20年以上(今までずっと)ここで働いています。 5 私は6時に駅に到着しました。 6 私は(今)ちょうど駅に到着したところです。 7 デイビッドはさいふをなくしました。8 デイビッドはさいふをなくしてしまいました。(そして今もそのさいふは見つかっていない。)

91「継続」の現在完了形とは?

235 ページ

1 I've been busy
2 Mr. Jones has been in Japan
3 I've lived in Tokyo
4 I've studied English

パッとSpeak! I've been here since this morning.

注意 1 2 は be 動詞の文なので,be 動詞の過去分詞 been を使います。また, 2 は主語が3人称単数なので,have のかわりに has を使うことに注意してください。

92「継続」の否定文・疑問文 237ページ

1 Has she lived here
① Yes, she has.　② No, she hasn't.
2 Have you known him
① Yes, I have.　② No, I haven't.
3 I haven't seen my father
4 I haven't eaten anything
5 How long have you lived
6 How long have you been

93「経験」の現在完了形とは？ 239ページ

1 I've seen this movie
2 I've met her
3 He has been to China
4 My grandparents have been to Hawaii
5 I've heard this story
6 I've read her book
7 I've heard his name
パッとSpeak! I've seen[watched] this video before.

94「経験」の否定文・疑問文 241ページ

1 I've never played golf.
2 He has never seen a panda.
3 I've never been abroad.
4 Have you ever tried this dish?
5 Have you ever heard of kabuki?
6 Have we met before?
7 Have you ever read any of his novels?
パッとSpeak! Have you ever been[come] to Japan?

95「完了」の現在完了形とは？ 243ページ

1 I've just finished my homework.
2 I haven't read this book yet.
3 I've just arrived at the airport.
4 Has she cleaned her room yet?
5 The movie hasn't started yet.
6 I have already washed the dishes.
7 Have you made the reservation yet?
パッとSpeak! The bus has just left.

96 現在完了形の整理 245ページ

1 My grandmother has studied French for five years.
2 Have they been here since last night?
3 We've been to Kyoto many times.
4 Have you ever seen a whale?
5 The package has just arrived.
6 Have you finished lunch yet?
7 Have you ever played the flute?
8 Have you ever eaten nachos?

97「現在完了進行形」とは？ 247ページ

1 He has been playing the game for three hours.
2 I've been reading this book since 7 p.m.
3 She has been talking to[with] her friend for two hours.
4 My brother has been cooking since this morning.
5 They have been singing for more than two hours.
6 I've been waiting here for about fifteen minutes.
7 We've been working for eight hours
パッとSpeak! It has been raining for a week in Tokyo.

復習タイム 248ページ

1 1) left　2) practicing　3) for
4) since　5) just　6) yet
7) ever　8) been　9) never

注意 1) 5) just は現在完了形の文で「ちょうど，たった今(～したばかり)」という意味を表します。2) 3) 4)「午前6時からずっと」のように始まった「時期」を言うときは since を，「10年間」のように期間の「長さ」を言うときは for を使います。6) yet は，not ～ yet (否定文)で「まだ～ない」という意味を，疑問文では「もう」という意味を表します。already は肯定文で「もう(すでに)」の意味です。7) 8) 9) ever は経験をたずねる疑問文で「今までに」の意味で使われます。never は「一度も～ない」

の意味の否定語です。once は「一度，一回」の意味で，回数を表します。

2 1）Have you ever eaten octopus?
2）I've never been to an art museum.
3）They've been talking since 5 p.m.
4）I've been a big fan of this band since I was ten.
5）I've been thinking about her all day.
6）Have you ever been to Kyoto?
7）How long have you been in Japan?

98「～することは…です」 251 ページ

1 It's easy to make pizza.
2 It's important to help each other.
3 It was difficult to understand his lecture.
4 It's interesting to learn about other cultures.
5 It's easy for her to swim 100 meters.
6 It's dangerous to go there alone.
7 It's important for us to protect the environment.

パッとSpeak! It's hard for me to explain in English.

99「～のしかた」 253 ページ

1 how to use this machine
2 how to play chess
3 how to make this dish
4 how to get to Noah's house
5 how to get there
6 how to pronounce this word
7 how to access the folder online

パッとSpeak! Could you tell me how to get to the station?

100「何をすればよいか」 255 ページ

1 what to do 2 what to say
3 where to go 4 where to buy a ticket
5 which to buy
6 where to get off the train
7 where to go for summer vacation
8 when to take my medicine
9 who to talk to

101「～してほしい」 257 ページ

1 you to read this article
2 them to be happy
3 him to be the leader
4 you to come with me
5 you to tell me about your country
6 wanted you to apologize
7 want my son to see this video

パッとSpeak! Do you want me to help?

102「～するように伝える」 259 ページ

1 told me to clean the kitchen
2 told us to speak in English
3 always tells me to read books
4 tell Andy to come at seven
5 I asked him to speak more slowly.
6 I asked her to explain in English.
7 tell her to call me

パッとSpeak! Mr. Jones told me to come.

103 letなどの使い方 261 ページ

1 Let me think about it.
2 Let me show you around the office.
3 Let me give you a hint.
4 I helped him make this video.
5 She helped me find my wallet.
6 The news made me cry.

パッとSpeak! Let me check.

復習タイム 262 ページ

1 1）We didn't know where to go.
2）It's hard for me to write
3）want you to join our team
4）told you to come here
5）Would you like to come with me?
6）let me help you
7）helped me make this website

2 1）I didn't know what to do.
2）I want[I'd like] him to be my teacher.
3）I told Andy to wait here.
4）tell her to call me back
5）I don't know how to use this app.
6）Could you tell me how to get to the

airport?

104「机の上の本」など

265 ページ

1 on the desk　2 in Tokyo
3 about space　4 of my family
5 in this box　6 with long hair
7 from a friend in Canada

105「ピアノを弾いている女の子」など

267 ページ

1 running over there
2 flying over there
3 reading a magazine
4 standing by the door
5 playing in the yard
6 climbing the tree

パッとSpeak! Who's that man talking with [to] Amy?

106「10年前に撮られた写真」など

269 ページ

1 made in Japan　2 written in English
3 taken in 1950　4 called Ken
5 spoken in India　6 sold there
7 invited to the party
8 grown in Brazil

注意 1950 は nineteen fifty と読みます。

107「きのう私が読んだ本」など

271 ページ

1 I read yesterday　2 he took　3 I met
4 you want　5 I saw there
6 you lost yesterday　7 I use for work

パッとSpeak! This is the watch I bought.

注意 5 この look は「～に見える」という意味の動詞で, like は「～のように」という意味の前置詞。look like ～で「～のように見える，～に似ている」という意味になります。

復習タイム

272 ページ

1 1) walking　2) loved
3) spoken　4) used

2 1) The girl with long hair is
2) the things on the desk are
3) a present from a friend in Australia
4) I stayed at a hotel built

3 1) Who is the boy playing the piano?
2) The woman I met on the plane
3) The boy running over there
4) pictures I took in London
5) a letter written in English
6) The book I bought last week

108「関係代名詞」とは？ ①

275 ページ

1 who took this picture
2 who can speak Russian
3 who is good at cooking
4 who designs buildings
5 who can't read Japanese
6 who played the piano at the concert

パッとSpeak! I have an uncle who lives in Australia.

109「関係代名詞」とは？ ②

277 ページ

1 that changed my life
2 that made him famous
3 that was on the table
4 that goes to the station
5 that sells things
6 that was popular ten years ago

パッとSpeak! My mother works for a company that makes toys.

注意 どれも，that のかわりに which を使っても正解です。

110「関係代名詞」とは？ ③

279 ページ

1 that he took
2 that I read yesterday
3 that I use every day
4 that I made
5 that I wrote yesterday
6 that my uncle gave me
7 that you bought last week
8 that he lost

注意 どれも，that のかわりに which を使っても正解です。

111 関係代名詞の整理

281 ページ

1 ○
2 × who[that] is very good at tennis

3 × who[that] wrote this book

4 ○ 5 ○

6 × that[which] made her famous

注意 1 名詞(book)のすぐあとに主語と動詞(I bought)が続いているので，関係代名詞は使わなくてもよい。

2 名詞(friend)のすぐあとに動詞(is)が続いてしまうので，friend のあとに関係代名詞が必要。

3 名詞(author)のすぐあとに動詞(wrote)が続いてしまうので, author のあとに関係代名詞が必要。

4 名詞(woman)のあとに主語と動詞(I saw)が続いているので，関係代名詞は使わなくてもよい。

5 名詞(book)のあとに関係代名詞 that が入っている。(この that はなくてもかまいません。)

6 名詞(book)のすぐあとに動詞(made)が続いてしまうので，関係代名詞(that か which)が必要。

復習タイム

282 ページ

1 1) How was the movie you saw
2) a movie that will make you happy
3) The boy who won the game was
4) the best movie that I've ever seen
5) the actor you want to meet

2 1) a friend who[that] can speak three languages
2) the book that[which] made him famous
3) anyone who[that] can speak Japanese
4) who[that] painted this picture
5) the picture (that[which]) I showed you last week
6) the man (that) I met at the party

112 文の中の疑問文

285 ページ

1 what this is 2 where she is

3 why he's angry 4 where Noah lives

5 what color she likes

6 where Alice works

7 when he's going to come

パッとSpeak! May I ask where you're from?

注意 疑問詞のあとは〈主語＋動詞〉の語順になり，do や did，does は使いません。4 5 6 は，一般動詞(live, like, work)に 3 人称単数・現在形の s をつけます。

113「仮定法」とは？

287 ページ

1 A 2 B 3 A 4 B

114「～だったらいいのに」

289 ページ

1 I wish I lived here.

2 I wish I had a private jet.

3 I wish I could talk with my dog.

4 I wish I were a bird.

5 I wish I were in the U.S. now.

115「もし私があなただったら」

291 ページ

1 If I were you, I would take a taxi.

2 If I were you, I would visit Kyoto.

3 If I were you, I would ask for help.

4 If I were you, I wouldn't go there alone.

5 If I were you, I wouldn't trust him.

116「もし～だったら」

293 ページ

1 If it were sunny today, I would go fishing.

2 If I had more money, I would buy one more.

3 If I had time, I would go.

4 If I lived in Hawaii, I would go to the beach every day.

5 where would you go

復習タイム

294 ページ

1 1) We don't know what this is.
2) I don't know where she lives.
3) Do you know where he is from?
4) I wish I had a smartphone.
5) I wish I could drive a car.
6) I wish I could stay here.
7) I wish I were good at swimming.
8) If I were a bird

2 1) I wish I could speak Chinese.
2) I wish I were rich.
3) If I had some food, I would give it to you.
4) If I were you, I would hurry.
5) If I were you, I wouldn't do that.